地热资源开发与问题研究

卢予北　吴　烨　张秋冬　王现国　著

U0286519

黄河水利出版社

图书在版编目(CIP)数据

地热资源开发与问题研究/卢予北等著. —郑州:黄河水利出版社,2005.6
ISBN 7－80621－925－0

Ⅰ.地…　Ⅱ.卢…　Ⅲ.地热－资源开发－研究　Ⅳ.P314

中国版本图书馆 CIP 数据核字(2005)第 063135 号

策划组稿:王路平　☎ 0371－66022212　E-mail:wlp@yrcp.com

出　版　社:黄河水利出版社
　　　　　地址:河南省郑州市金水路 11 号　　邮政编码:450003
发行单位:黄河水利出版社
　　　　　发行部电话:0371－66026940　传真:0371－66022620
　　　　　E-mail:yrcp@public.zz.ha.cn
承印单位:黄河水利委员会印刷厂
开本:850 mm×1 168 mm　1/32
印张:4.625
字数:116 千字　　　　　　印数:1—1 600
版次:2005 年 6 月第 1 版　印次:2005 年 6 月第 1 次印刷

书号:ISBN 7－80621－925－0/P·40　　　定价:12.00 元

序

地热(水)资源是十分珍贵的矿产资源,具有较广泛的用途,它既是清洁能源,又对人体有保健功能;进入新世纪以来,随着社会进步、城市化和生态城市建设的发展,促进了对地热能的开发利用。地热资源开发的主要手段是通过地热井提取流体热能。工程的成败和效益取决于成井质量。作者对钻井工艺、事故处理、井管腐蚀和地热井水量衰减等问题进行了系统研究,视角开阔,勇于创新。并结合地热钻井施工和修井实践,进行了多方面的探索,取得了多项成功的范例。特别是研制了新型高强度贴砾滤水管、水井除砂器等新产品,对保证地热井的成井质量、处理病害事故具有重要参考价值。该书可作为地热钻井技术人员和地热专业研究生学习的参考书。

李明朗

(原天津市地矿局总工程师、教授级高工、
全国地热规划组组长)

2005 年 4 月 19 日

前　言

　　地热属于宝贵的地下资源,同时也是一种洁净的绿色能源。开发利用地热资源不仅可以提高人们的生活质量和品位,而且还可以减少大气污染,具有显著的环境效益。为此,世界各国相继把地热资源作为一种新的能源和资源进行开发利用,如用于发电、供热供暖、温泉洗浴、医疗保健、种植养殖和旅游业,并带动其他相关的产业。我国北京和天津地热资源开发利用发展迅速并形成规模,其他地区的地热资源勘查与开发也出现了强劲的势头。

　　我国在发电、供热供暖等领域主要使用传统的消耗性能源,如煤炭、石油和天然气等,这些能源的消耗一方面属于不可再生,另一方面对环境造成一定的污染。从现代能源结构看,石油、煤炭、天然气等都不能回收,燃烧后就消失了。所以,在人类社会发展和传统能源紧缺的情况下,寻找新的能源和资源,并加强开发和合理利用具有光明的前景和重大的意义。

　　我国的地热资源主要以水为载体,通过钻井手段将地下热能开采出来。就目前地热开发的情况来看,其技术、规模和管理参差不齐,突出存在的问题是井管腐蚀、水量和温度衰减、使用寿命低等。针对这些问题,作者结合近年来实际工作和大量的第一手资料编写了该书,同时也是作者硕士论文《现代水井工程若干技术问题分析与研究》和《旧井处理工程技术研究与应用》、《河南省地热井金属井管腐蚀机理初步研究》等研究课题内容的统一归纳和完善。书中的部分成果通过了省级验收和鉴定(达到了国内领先水平),并受到了中国工程院院士刘广志和吉林大学工程技术学院院长、博士生导师殷琨教授的好评。

— 1 —

该书中的腐蚀试验部分主要由郑州经济管理干部学院环境工程系吴烨同志承担；野外的部分工作和检测由黄煊、卢予平、张秋冬等同志承担；桂林工学院环境与资源工程系吴英隆教授对书稿进行了详细认真的校对和修改，在此表示真诚的感谢！

　　由于时间问题和作者水平有限，书中难免存在一些问题和不足。本书编写目的有二：一是引起注意，共同关注新能源的合理开发与利用；二是抛砖引玉，加强地热资源开发与问题研究。

　　本书可供从事地热资源勘查与开发人员和相关管理部门人员阅读参考，也适用于水文水井钻探和旧井处理工程、石油钻井、盐矿钻井等领域。

卢予北

2005 年 5 月于郑州

目　录

第一章 绪 论

第一节 能源与环境问题

能源包括太阳能、风能、生物质能、地热能、海洋能、氢能、水电、天然气能和空气能等。传统的能源主要以消耗性为主,如煤炭、石油、天然气等,这些能源的消耗一方面属于不可再生,另一方面对环境造成一定的污染。对于太阳能、风能、地热能、海洋能和氢能的开发利用目前还处于一个初级和试验阶段。从现代能源结构看,石油、煤炭、天然气等都不能回收,燃烧后就消失了,更何况石油、天然气的储量仅够人类再用 40～50 年。为此,世界各国对此高度重视。

到 2020 年,我国将建成小康社会,按照保守的估计,人均能源消费量将达到 2t 标准煤,全国将达到近 30 亿 t 标准煤。综观国内能源资源条件,国内能源供应将面临潜在的总量短缺,尤其是石油、天然气供应将面临结构性短缺。为应对挑战需要采取以下对策:调整和优化能源结构,建立可持续能源保障体系;发展洁净煤技术,减少能源利用对环境的影响;优先发展水电,提高水电在能源消费结构中的比例;大力促进新能源和可再生能源的发展;给核能发电应有的地位,达到能源消费总量的 1/10;坚持节能和提高能源利用效率;多元化利用国际油气资源,规避能源风险;建立以石油储备为主的能源战略储备体系,保障能源安全。

我国能源问题专家郑健超院士提出:解决中国能源问题和解决吃饭问题一样难! 他说:"我国能源供应紧张的状况才刚刚开

始。按照经济高增长情景设计,2020年我国的能源需求将达到31亿t标准煤,居世界第二。形象地说,在未来的20年,中国要增加26座兖州煤矿、6个大庆油田、8个西气东输工程、4个左右的三峡水电站的装机容量、20个大亚湾核电站和400个大型火电站。为了配套,还需要大规模扩建电网、油气管路、煤炭运力等基础设施。"

环境是人类生存和活动的场所。人类为满足生活和生产活动的需求,一方面向环境索取自然资源和能源,一方面又将生活和生产过程中产生的废物排泄到环境中去。因此,环境既要向人类提供足够的生存空间、物质资源和能源,又要接收、容纳并消化人类的活动产生的各种排泄物。伴随着地球上人口数量的不断膨胀和人类活动能力的不断增强,当人类向环境索取的物质和能量超过了环境所能提供的能力,排放到环境中的各种排泄物质使其他生物的正常生存和发展受到损害时,我们就说发生了环境污染。

环境污染最早开始引起注意可追溯到产业革命时期。由于煤炭的规模使用,引起粉尘和硫氧化物的大量排放,从而造成了空气污染。后来,伴随着工业的进一步发展与扩大,在社会生产力得到几十倍、成百倍增长的同时,排放到环境中的废气、废水和废渣也几十倍、几百倍地增长,使得水、大气、土壤等受到的污染日趋严重。某些地区的大气经常烟雾弥漫,河流和湖泊的水质污浊,垃圾围城,农药、重金属、各种有毒化学品污染严重,导致了一系列震惊世界的公害事件发生,如洛杉矶光化学事件、日本水俣病等,使成千上万的人遭难。图1-1是我国某地燃煤造成的空气污染,这类现象在其他任何一个地区都存在,已经是一个司空见惯的问题。环境污染造成的严重后果引起了人们对环境问题的重视,使人们在致力于经济发展的同时也开始对环境污染采取了各种控制和治理措施。特别是20世纪70年代后,工业发达国家为治理环境污染,制定了各种法律和条例,投入了大量物力和人力,使得环境污染逐步得到控制,环境质量得到了很大改善。80年代以后,除局部及区域性环境污染以外,酸雨、温室效应、臭氧层破坏等全球性环境问题开始成为世界各国关注的重点。

图1-1 燃煤造成的空气污染

酸雨的形成主要与煤炭和石油燃烧以及工业生产等释放到大气中的二氧化硫和氮氧化物污染物有关。二氧化硫和氮氧化物污染物在大气中通过化学反应分别转化成硫酸和硝酸,混入雨水或雪水中,使其酸度增加。同时酸雨的形成还与许多碱性物质有关,如飞灰中的氧化钙、土壤中的碳酸钙以及其他碱性物质可与酸发生中和反应。酸雨的酸度实际上是大气中阴阳离子酸碱反应的综合结果,涉及复杂的大气化学和物理过程。

酸雨的危害首先是对人体健康的危害,由于酸雨在降落过程中可以溶解空气中的重金属粒子,使其变成对人体有害的金属盐,特别是对体弱多病、抵抗力较差的人们,酸雨可诱发各种呼吸道疾病。二是破坏生态系统,土壤酸度增加、结构受到破坏,植物的正常生长受到危害,肥沃的土壤甚至变为贫瘠的不毛之地;森林遭受严重毁坏;河流、湖泊发生酸化,影响鱼类生长。如瑞典和挪威南部以及美国东北部的许多湖泊由于酸化而成为无鱼的死湖。三是超级腐蚀作用,酸雨能腐蚀建筑材料、金属构件和油漆等,使大批建筑物包括名胜古迹遭受损害。由此可以看出,酸雨的危害是巨大的。欧洲经济委员会报告书称,因酸雨危害造成的经济损失额相当于全世界每人损失 2~10 美元。为此有人将酸雨称为"空中死神"。

20 世纪以来,全世界的酸雨污染范围日益扩大。原只发生在北美和欧洲工业发达国家的酸雨,逐渐向一些发展中国家和地区扩展,如印度、东南亚、中国等。同时酸雨的酸度也在逐渐增加。欧洲大气化学监测网近 20 年连续监测的结果表明,欧洲雨水的酸度增加了 10%,瑞典、丹麦、波兰、德国、加拿大等国的酸雨 pH 值多为 4.0~4.5,美国已有 15 个州的酸雨 pH 值在 4.8 以下。我国是一个燃煤大国,由于对燃烧排放的二氧化硫的治理尚处于起步阶段,致使一些地区酸雨污染日趋严重。华中、西南和华南地区已成为堪与北美酸雨区、欧洲酸雨区并列的世界三大酸雨区之一。据统计,我国降水年均 pH 值低于 5.6 的城市有 44 个,占统计城市数的 47.8%;75% 的南方城市降水年均 pH 值低于 5.6。其中,酸雨尤为严重的有重庆、贵阳等地,降水 pH 值在 4.3 左右,对当地的森林、植物等产生很大危害,同时对人类健康也造成严重的威胁,图 1-2 是重庆某地一农民长期遭受污染而导致的皮肤搔痒病。据报道,重庆南山 1 800hm^2 马尾松林,因酸雨死亡了 46%。这些地区和城市已被列入国家重点酸雨控制区域。控制酸雨的根本措施是减少二氧化硫和氮氧化物的人为排放量。

未来我国温室气体排放预计将从 2000 年占全球总量的 12.7% 增加到 2020 年的 16.7%。此外,与能源利用相关的空气污染还包括二氧化碳、二氧化硫、氮氧化物及粉尘等,导致我国有 1/3 以上的国土受到了酸雨的威胁。近年来,我国许多城市空气质量每况愈下,部分归咎于小型工业锅炉及炉灶中煤的直接燃烧。

图 1-2　空气污染对人类健康的威胁

温室效应,就是太阳短波辐射可以透过大气射入地面,而地面增暖后放出的长波辐射却被大气中的二氧化碳等物质所吸收,从而产生大气变暖的效应。大气中的二氧化碳就像一层厚厚的玻璃使地球变成一个大暖房。据估计,没有了大气,地球平均温度就会下降到-23℃,而实际地表平均温度为15℃,这就是说温室效应使地表温度提高38℃。除了二氧化碳以外,对产生温室效应有重要作用的气体还有甲烷、臭氧、氯氟烃以及水气等。随着人口的急剧增长、工业的迅速发展,排放到大气中的二氧化碳相应增多,森林被大量砍伐,大气中应被森林吸收的二氧化碳逐渐增加,温室效应也不断增强。据分析,在过去的200年中,二氧化碳浓度增加了25%,地球平均气温上升0.5℃。估计到22世纪中叶,地球表面平均温度将上升1.5~4.5℃,而在中高纬度地区温度上升更多。温室效应的后果十分严重。首先自然生态将随之发生重大变化:荒漠将扩大,土地侵蚀加重,森林减少,旱涝灾害严重,雨量将增加7%~11%;温带冬天更湿,夏天更旱;热带也将变得更湿,干热的副热带变得更干旱,迫使人们重新调整原有的水利工程。再是沿海地区将受到严重威胁。由于气温升高,两极冰块将溶化,使海平面上升 1m 多。另有科学家认为,由于气温升高,引起海水体积膨胀,海平面可能升高 0.2～1.4m。现在全世界有三分之一的人口生活在沿海地区,沿海地区又是工农业非常发达的地方,海平面升高会淹没许多城市和港口。

地球变暖已引起人们的关注。1988 年 11 月,联合国大会已作出一项决议,指出二氧化碳等气体在大气中继续增加,可能会造成全球气候变暖和海平面上升,从而给人类带来灾难,号召国际社会"为当代的后代人类保护气候"而努力。因此,我们在发展工业时,要积极治理大气污染,研究把二氧化碳化为其他物质的技术,防止甲烷、氯氟烃等气体的外溢。其次,要保护好现有森林,大力植树造林,使大气中的二氧化碳通过植物光合作用转化为营养物质。最后,还要用各种途径减少矿物能源的总消耗量,尽量采用核能、太阳能、水能、风能,以减少二氧化碳的排放。

第二节 地热资源的开发利用

一、地热能

地热是一种新型的能源和资源,同时也是绿色环保能源,它可广泛应用于发电、供热供暖、温泉洗浴、医疗保健、种植养殖、旅游等领域。所以,地热资源的开发利用,不仅可以取得显著的经济和社会效益,更重要的是还可以取得明显的环境效益。人类很早以前就开始利用地热能,如利用温泉沐浴、医疗,利用地下热水取暖、建造农作物温室、水产养殖及烘干谷物等。但真正认识地热资源并进行较大规模的开发利用却是始于 20 世纪中叶。地热能的利用可分为地热发电和直接利用两大类。

地热能是来自地球深处的可再生热能。它起源于地球的熔融岩浆和放射性物质的衰变。地下水的深处循环和来自极深处的岩浆侵入到地壳后，把热量从地下深处带至近表层。在有些地方，热能随自然涌出的热蒸汽和水而到达地面，自史前起它们就已被用于洗浴和蒸煮。通过钻井，这些热能可以从地下的储层引入地面供人们利用，这种热能的储量相当大。据估计，每年从地球内部传到地面的热能相当于 $100PW \cdot h$。地球内部是一个高温高压的世界，是一个巨大的"热库"，蕴藏着无比巨大的热能。据估计，全世界地热资源的总量大约为 $14.5 \times 10^{25}J$，相当于 $4\,948 \times 10^{12}t$ 标准煤燃烧时所放出的热量。如果把地球上储存的全部煤炭燃烧时所放出的热量按 100 来计算，那么，石油的储量约为煤炭的 8%，目前可利用的核燃料的储量约为煤炭的 15%，而地热能的总储量则为煤炭的 17 000 万倍。可见，地球是一个名副其实的巨大"热库"。

二、地热的分布

在地壳中，地热的分布可分为三个带，即可变温度带、常温带和增温带。可变温度带，由于受太阳辐射的影响，其温度有着昼夜、年份、世纪甚至更长的周期变化，其厚度一般为 $15\sim20m$；常温带其温度变化幅度几乎等于零，其深度一般为 $20\sim30m$；增温带在常温带以下，温度随深度增加而升高，其热量的主要来源是地球内部的热能。

按照地热增温率的差别，我们把陆地上的不同地区划分为"正常地热区"和"异常地热区"。地热增温率接近 $3℃$ 的地区称为"正常地热区"，远超过 $3℃$ 的地区称为"异常地热区"。在正常地热区，较高温度的热水或蒸汽埋藏在地球的较深处。在异常地热区，由于地热增温率较大，较高温度的热水或蒸汽埋藏在地壳的较浅部，有的甚至出露地表。那些天然出露的地下热水或蒸汽叫做温泉。温泉是当前经济技术条件下最容易利用的一种地热资源。在异常地热区,人们也较易通过钻井等人工方法把地下热水或蒸汽引导到地面上来加以利用。

在一定地质条件下的"地热系统"和具有勘探开发价值的"地热田"都有它的发生、发展和衰亡过程,绝对不是只要往深处打钻,到处都可以发现地热。作为地热资源的概念,它也和其他矿产资源一样,有数量和品位的问题。就全球来说,地热资源的分布是不平衡的。明显的地温梯度每公里深度大于 30℃的地热异常区,主要分布在板块生长、开裂—大洋扩张脊和板块碰撞、衰亡—消减带部位。全球性的地热资源带主要有以下 4 个:

(1)环太平洋地热带。它是世界上最大的太平洋板块,与美洲、欧亚、印度板块的碰撞边界。世界许多著名的地热田,如美国的盖塞尔斯、长谷、罗斯福,墨西哥的塞罗、普列托,新西兰的怀腊开,中国台湾的马槽,日本的松川、大岳等均在这一带。

(2)地中海—喜马拉雅地热带。它是欧亚板块与非洲板块和印度板块的碰撞边界。世界第一座地热发电站——意大利的拉德瑞罗地热田就位于这个地热带中。中国西藏的羊八井及云南腾冲地热田也在这个地热带中。

(3)大西洋中脊地热带。这是大西洋板块开裂部位。冰岛的克拉弗拉、纳马菲亚尔和亚速尔群岛等一些地热田就位于这个地热带。

(4)红海—亚丁湾—东非裂谷地热带。它包括吉布提、埃塞俄比亚、肯尼亚等国的地热田。

除了在板块边界部位形成地壳高热流区而出现高温地热田外,在板块内部靠近板块边界部位,在一定地质条件下也可能形成相对的高热流区。其热流值大于大陆平均热流值 1.46 热流单位,而达到 1.7~2.0 热流单位。如中国东部的胶、辽半岛,华北平原及东南沿海地区等。

中国地热资源是比较丰富的,据估算,主要沉积盆地小于

2 000m的深度中储存的地热资源总量约 $4.018\ 4\times10^{19}$ kJ,相当于 $1.371\ 1\times10^{12}$ t标准煤的发热量。我国目前对地热资源的开发利用与常规能源相比所占的比重是很小的,据权威部门统计,全国开发利用地热水总量为 93.67 万 m^3/d,年利用热量 $5.648\ 5\times10^{16}$ J,约相当于 192.74 万 t 标准煤的发热量,此值仅是中国目前能量消耗总量 17.24 亿 t 标准煤的 0.1%。我国地热资源开发利用有以下特点:

(1)地热资源分布面广。据已勘查地热田的分布表明,全国几乎每个省区都有可供开发利用的地热资源分布。

(2)以中低温地热资源为主。据现有 738 处地热勘查资料统计,中国高温地热田仅 2 处(西藏羊八井、羊易地热田),其余均为中低温地热田,其中温度在 90~150℃ 的中温地热田 28 处,占地热田勘查总数的 3.8%;90℃ 以下的低温地热田 708 处,占地热田勘查总数的 96%;全国已勘查地热田的平均温度约为 55.5℃,其中平均温度西藏最高,达 88.6℃;湖南最低,为 37.7℃。

(3)地热田规模以中小型为主。在已勘查的 738 处地热田中,大、中型地热田仅 55 处,占 7.5%,但可利用的热能达 3 310.91MW,占勘查地热田可利用热能的 76.7%;小型地热田 683 处,占总数的 92.5%,其可利用热能仅 1 008.05MW,占总量的 23.3%。

(4)地热水水质以低矿化水为主,适合多种用途。在有水质分析资料的 493 处地热田中,水矿化度小于 1.0g/L 的有 327 处,占总数的 66.3%;大于 3.0g/L 的仅 42 处,占总数的 8.5%。

(5)开发利用较经济的是构造隆起区已出露的中、小型地热田。这些地热田地表有热显示,热储埋藏浅,勘查深度小,一般仅 300~500m,勘探难度和风险小。地下热水有一定补给,水质好,适用范围大。

(6)开发潜力大的是大型沉积盆地地热田。中国东部的华北盆地、松辽盆地,具有很大的地热资源开发利用潜力,但其开发利用条件受到热储层埋藏深度、岩性、地热水的补给条件的限制。开采利用 40℃ 以上的地热水,开采深度一般都需要 1 000m 左右,有的地区地热水开采深度已超过 3 000m。

据中国工程院院士、西藏地勘局总工程师多吉初步考察,青藏铁路沿线丰富的高温地热资源估计拥有 10 万 kW 的发电潜力。青藏高原是我国地热资源最丰富的地区,占我国高温地热资源量的 80%。2004 年我国启动了对青藏铁路沿线高温地热资源考察工作。从目前考察情况来看,青藏铁路沿线,自拉萨—尼木—羊八井—那曲—错纳湖—温泉一带,蕴藏着丰富的高温地热资源,目前已查明的地热显示点有 20 余处,具有一定规模的地热田有 12 处,是西藏地热储量最集中的地带。

另外,2005 年 2 月结束的"郑州超深层地热资源科学钻探工程"项目,表明郑州同样具有丰富的地热资源。该井深 2 763m,温度高达 62℃、水量 36t/h,偏硅酸、氟和偏硼酸等同时达到国家医疗热矿水标准。具有巨大的开发利用价值。

三、地热开发应用情况

人类很早以前就懂得利用地热能,古罗马人建造了利用地热能的浴池和房屋,在冰岛、土耳其和日本等国的地热地区至今仍保留类似做法。其中冰岛是地热较多的国家,已有 40% 的居民利用地热取暖,其首都雷克雅未克在 20 世纪 40 年代就利用地热实现了暖气天然化,是世界最清洁的城市之一。

地热资源的最大利用潜力是发电,世界上最早的地热发电站于 1940 年在意大利塔斯坎尼的拉德雷洛地区建成。在当地,温度为 140~260℃ 的蒸汽从地裂缝中喷出,因含有污染的化学物质,涡轮机不能直接应用,便将地热蒸汽引入热交换器,利用其热量加热净水,再将干净的水蒸气引入涡轮机。250kW 的发电机组开始发电,目前装机容量达到 42 万 kW。

从 20 世纪 60 年代以来,国内外 30 多个国家建立了地热电站,装机容量已达 250 多万 kW。美国地热发电规模较大,并且发展速度很快。1960 年加利福尼亚州在盖塞建成第一座地热蒸汽电站,装机容量 1 万 kW。到 1979 年,美国的地热发电装机容量达到 66.3 万 kW,居世界第一位。菲律宾有 12 座活火山,地热资源极为丰富,目前正在积极开发利用。

地热水本身具有较高的温度,含有多种化学成分、少量的生物活性离子和放射性物质,对人体可起到保健、抗衰老作用,对风湿病、关节炎、心血管病、神经系统疾病、妇科病等慢性病有特殊的疗效,具有很高的医疗价值。

利用温泉治疗疾病,很多年前就被人类所认识,有许多温泉被供为"圣水、仙水"。世界上许多温泉出露的地区既是疗养区又是旅游区。如日本位于环太平洋火山活动带上,有着丰富的地热资源,他们依据这些优势建起温泉保健所 700 多家,温泉宾馆 1 万多个。匈牙利虽然人口不多,但是地热开发利用却很发达,建有地热疗养院 200 多家,从而吸引着众多的国内外游客或病人。

我国的地热能开发利用已有较长的时间,地热发电、地热制冷及热泵技术都已比较成熟。今后地热能利用发展的主要问题是解决建筑物的采暖、供热及提供生活热水,以地热能直接利用为主,将中高温地热热水(>55℃)用于冬季采暖、夏季制冷和全年供生活热水,以及地热干燥、地热种植、地热养殖、娱乐保健等,实现地热能的高效梯级综合利用,使地热能的利用率达到 70%～80%;其次,以地源为低温热源的热泵制冷、采暖、供热水三联供技术的开发将是另一个重要方面。

我国的中低温地热资源的利用在局部地区取得了良好的效果,如北京市和天津市利用地热水进行冬季供暖,为减少化石燃料的使用,改善两市的大气环境产生了良好的效果。另外,在开发温泉旅游、疗养、娱乐等方面这几年也得到了迅速的发展。特别是一些经济比较落后和交通相对闭塞的地区，现在也注重把地热作为一种旅游资源与当地的一些特色景观结合起来吸引外资进行联合开发，并取得了显著的经济效益和社会效益。如图 1-3 和图 1-4 分别为河北平山县著名的革命圣地——西柏坡和江苏东海县水晶之乡兴建的温泉宾馆和疗养院，其中河北平山温泉宾馆和疗养院达 10 余座，江苏东海的温泉宾馆达 20 余座，并有日本和德国等外

图 1-3 河北平山温泉宾馆和度假村

图 1-4 连云港东海县温泉度假村

商投资兴建的,形成了一定的经营规模和品位,地热开发的同时也带动了周边地区的房地产业和其他商业的蓬勃发展。

但是,与美国、日本、冰岛等国家相比,我国的地热开发利用不论从总量和利用水平上都存在一定的差距。除高温资源用于发电外,大部分中低温地热资源的利用仍停留在简单的、原始的利用方式,特别是许多地热旅游宾馆在利用 70~90℃ 的地热水时,往往要靠自然冷却将温度降低到 50℃ 以下用于洗浴和理疗,使大量热能白白浪费掉。究其原因,主要是设计规划落后,设备陈旧,设备的年使用率不高。在地热勘探、开采、地热水回灌、防腐、防垢等方面的技术和设备同国外先进国家相比还存在较大的差距。

四、地热分类及主要用途

地热按使用范围可分为地热饮用矿泉水和医疗热矿水两种;地热流体不管是蒸气还是热水一般都含有 CO_2、H_2S 等不凝结气体,其中 CO_2 占 90%。地热流体中还含有数量不等的 $NaCl$、KCl、$CaCl_2$、H_2SiO_3 等物质。地区不同含盐量差别很大,以重量计地热水的含盐量在 0.1%~40% 之间。如河南郑州、开封、周口、漯河等地千米左右的地热资源主要以地热饮用矿泉水为主,其矿化度一般在 1 000mg/L;而其他地区则以医疗热矿水为主,其矿化度一般都大于 1 000mg/L。按温度分为高温、中温和低温三类(见表1-1)。

表1-1　地热资源温度分类

温度分类		温度界限(℃)	主要用途
高温地热资源		$t \geqslant 150$	发电、烘干
中温地热资源		$90 \leqslant t < 150$	工业利用、发电、烘干
低温地热资源	热水	$60 \leqslant t < 90$	采暖、工艺流程
	温热水	$40 \leqslant t < 60$	医疗、洗浴、温室
	温水	$25 \leqslant t < 40$	农业灌溉、养殖、土壤加温

五、不同方式供暖成本比较和地热资源开发规划

地热井的综合造价不高,正常情况下一口地热井的综合造价和燃煤锅炉价格相当,比燃油气炉少得多,且具有占地面积小、操作简单、运行成本低、无环境污染等优点,表 1-2 是各种供暖方式的成本比较。

表 1-2　各种采暖方式初投资和运行费用比较

项目	初投资(元/m²)	运行费用(元/m²)
地热(热泵)	138	15.4
热力	70	22
燃煤锅炉	50	26
燃油锅炉	61	45
空调机	295	30
电锅炉	90	124

目前,开发地热能的主要方法是钻井,并从所钻的地热井中引出地热流体——蒸气和水而加以利用。随着我国市场经济的快速、稳定发展,特别是城市化进度加快和人民生活质量提高,地热市场的需求相当强劲,如中国北方高纬度寒冷的大庆地区,急需大规模开发地热,以解决城镇供热问题;干旱的西北地区也急需开发热矿水以开拓市场、发展第三产业以及提高人民生活水平,改善生产和生活条件。为此,国家主管部门和行业制订了地热资源开发利用规划:

近中期(2001～2005 年):地热发电,15～25MW,累计 40～50MW;地热采暖,700 万～800 万 m²,累计 1 400 万～1 500 万 m²。

远期(2006～2010 年):地热发电,25～50MW,累计 65～

100MW;地热采暖,800 万~1 000 万 m^2,累计 2 200 万~2 500 万 m^2。

地热能的另一种形式主要是地源能,包括地下水、土壤、河水、海水等,地源能的特点是不受地域的限制,参数稳定,其温度与当地的年平均气温相当,不受环境气候的影响。由于地源能的温度具有夏季比气温低、冬季比气温高的特性,因此是用于热泵夏季制冷空调、冬季制热采暖的比较理想的低温位冷热源。

随着经济建设的迅速发展和人民生活水平的不断提高,城镇化步伐加快,建筑物用能(包括制冷空调、采暖、生活热水的能耗)所占比例越来越大,特别是冬季采暖供热,由于大量使用燃煤、燃油锅炉,由此所造成的环境污染、温室效应、疾病等严重影响着人们的生活质量。因此,开发和利用地热资源,对于建筑物的制冷空调、采暖、供热有着十分广阔的市场,对我国调整能源结构、促进经济发展、实现城镇化战略、保证可持续发展等具有重要的意义。

第三节　可持续发展与循环经济

一、可持续发展

1987 年,挪威首相布伦特兰夫人在她任主席的联合国世界环境与发展委员会的报告《我们共同的未来》中,把可持续发展定义为"既满足当代人的需要,又不对后代人满足其需要的能力构成危害的发展",这一定义得到广泛的接受,并在 1992 年联合国环境与发展大会上取得共识。我国有的学者对这一定义作了如下补充:可持续发展是"不断提高人群生活质量和环境承载能力的、满足当代人需求又不损害子孙后代满足其需求能力的、满足一个地区或一个国家长久需求又不损害别的地区或国家人群满足其需求能力的发展"。还有从"三维结构复合系统"出发定义可持续发展的。

美国世界观察研究所所长莱斯特 R·布朗教授则认为,持续发展是一种具有经济含义的生态概念:一个持续社会的经济和社会体制的结构,应是自然资源和生命系统能够持续维持的结构。

中国古代哲学家提出的"天人合一"的观点,强调人与自然的和谐相处,实际上这就是个萌芽阶段的可持续发展思想。从可持续发展的社会观而言,主张公平分配,以满足当代和后代全体人民的基本需求,即一代人不要因为自己的发展与需求而损害人类世世代代满足需求的条件——自然资源与环境;从可持续发展的经济观而言,主张建立在保护自然系统基础上的持续经济增长,即人类的经济和社会发展不能超越资源与环境的承载能力;从可持续发展的自然观而言,主张人与自然和谐相处。可持续发展的观点目前已经被世界上大多数国家或地区的政府所接受,走可持续发展之路是人类文明发展的一个新阶段。可持续发展对中国的发展同样具有重大意义,它是中国摆脱贫穷、人口、资源和环境困境的惟一正确选择。为此许多专家学者呼吁:中国的人口、资源、环境容量已到支撑的极限,可持续发展道路成为惟一选择!中国政府在 1992 年联合国环境与发展大会上签署了两个公约,承诺将认真履行会议通过的所有文件。1994 年 3 月,国务院批准了全球第一部国家级的《21 世纪议程》、《中国 21 世纪议程》,它把可持续发展原则贯穿到了各个领域。江泽民总书记在党的十四届五中全会上的讲话《正确处理社会主义现代化建设中的若干重大关系》中,提出把可持续发展作为一项重大战略。目前,我国正在为把这一人类的共同理念变成现实而努力奋斗。

二、循环经济

"循环经济"一词,是由美国经济学家 K·波尔丁在 20 世纪 60年代提出的,是指在人、自然资源和科学技术的大系统内,在资源投入、企业生产、产品消费及其废弃的全过程中,把传统的依赖资源消耗的线性增长的经济,转变为依靠生态型资源循环来发展的经济。

循环经济观,是在全球人口剧增、资源短缺、环境污染和生态蜕变的严峻形势下,人类重新认识自然界、尊重客观规律、探索经济规律的产物,其主要特征如下:

(1)新的系统观。循环是指在一定系统内的运动过程,循环经济的系统是由人、自然资源和科学技术等要素构成的大系统。循环经济观要求人在考虑生产和消费时不再置身于这一大系统之外,而是将自己作为这个大系统的一部分来研究符合客观规律的经济原则,将"退田还湖"、"退耕还林"、"退牧还草"等生态系统建设作为维持大系统可持续发展的基础性工作来抓。

(2)新的经济观。在传统工业经济的各要素中,资本在循环,劳动力在循环,而惟独自然资源没有形成循环。循环经济观要求运用生态学规律,而不是仅仅沿用19世纪以来机械工程学的规律来指导经济活动。不仅要考虑工程承载能力,还要考虑生态承载能力。在生态系统中,经济活动超过资源承载能力的循环是恶性循环,会造成生态系统退化;只有在资源承载能力之内的良性循环,才能使生态系统平衡地发展。

(3)新的价值观。循环经济观在考虑自然时,不再像传统工业经济那样将其作为"取料场"和"垃圾场",也不仅仅视其为可利用的资源,而是将其作为人类赖以生存的基础,是需要维持良性循环的生态系统;在考虑科学技术时,不仅考虑其对自然的开发能力,而且要充分考虑到它对生态系统的修复能力,使之成为有益于环境的技术;在考虑人自身的发展时,不仅考虑人对自然的征服能力,而且更重视人与自然和谐相处的能力,促进人的全面发展。

(4)新的生产观。传统工业经济的生产观念是最大限度地开发利用自然资源,最大限度地创造社会财富,最大限度地获取利润。而循环经济的生产观念是要充分考虑自然生态系统的承载能力,尽可能地节约自然资源,不断提高自然资源的利用效率,循环使用资源,创造良性的社会财富。在生产过程中,循环经济观要求遵循"3R"原则:资源利用的减量化(Reduce)原则,即在生产的投入端尽可能少地输入自然资源;产品的再使用(Reuse)原则,即尽可能延长产品的使用周期,并在多种场合使用;废弃物的再循环(Recycle)原则,即最大限度地减少废弃物排放,力争做到排放的无害化,实现资源再循环。同时,在生产中还要求尽可能地利用可循环再生的资源替代不可再生资源,如利用太阳能、风能和农家肥等,使生产合理地依托在自然生态循环之上;尽可能地利用高科技,尽可能地以知识投入来替代物质投入,以达到经济、社会与生态的和谐统一,使人类在良好的环境中生产生活,真正全面提高人民生活质量。

(5)新的消费观。循环经济观要求走出传统工业经济"拼命生产、拼命消费"的误区,提倡物质的适度消费、层次消费,在消费的同时考虑废弃物的资源化,建立循环生产和消费的观念。同时,循环经济观要求通过税收和行政等手段,限制以不可再生资源为原料的一次性产品的生产与消费,如宾馆的一次性用品、餐馆的一次性餐具和豪华包装等。

传统的农耕文明对自然资源的利用能力是有限的,对大自然具有很强的依赖性,敬畏自然。中国4 000年前的夏朝,规定春天不准砍伐树木,夏天不准捕鱼,不准捕杀幼兽和获取鸟蛋;3 000年前的周朝,根据气候节令,严格规定了打猎、捕鱼、捕鸟、砍伐树木、烧荒的时间;2 000年前的秦朝,禁止春天采集刚刚发芽的植物,禁止捕捉幼小的野兽,禁止毒杀鱼鳖。中国历朝历代,都有对环境保护的明确法规与禁令。中国历代农民都知道"取之于地,用之于地"的道理,从土地上生产出来的秸秆,食物消化后的粪便,都作为农家肥料还到土地,保持了土地能量的循环使用,所以耕地经几千年而不退化。

以水为例,公元前每人每天耗水 12L,中世纪 20～40L,18 世纪增加到 60L,而现在,发达国家每人每天耗水量达 500～600L。据有关资料统计,工业化国家每创造 100 美元的收入,约需要 300kg 的自然资源,人均每年需要 4.5 万～8.5 万 kg 自然资源。

在全球资源环境压力下,发达国家早已全力发展新能源和循环经济。发达国家新能源的开发(氢能、太阳能、风能等洁净能源)和循环经济的发展(资源的循环可再生利用,零垃圾与零排放)正将人类文明推向一个新的转型阶段。谁最早转型成功,谁就是未来的主人。转型的关键在于探索"生态科技之路",新能源和循环经济即是生态科技之路的核心。

第十届全国人大常委会第十四次会议通过,并将于 2006 年 1 月 1 日起实施的《中华人民共和国可再生能源法》把地热与风能、太阳能、水能、海洋能等列为洁净的新型能源和资源。该法明确指出:国家将可再生资源开发利用的科学技术研究和产业化发展列为科技发展与高新技术产业发展的优先领域。纳入国家科技发展规划和高技术产业发展规划,并安排资金支持可再生能源开发利用的科学技术研究、应用示范和产业化发展,促进可再生能源开发利用的技术进步,降低可再生能源产品的生产成本,提高产品质量。同时国家财政设立可再生能源发展专项基金,国家发改委决定在 2005～2007 年间,实施可再生能源和新能源高技术产业化专项,对产业化项目进行支持。国际能源专家普遍认为,预计到 2100 年,地热资源利用将在世界能源总值中占 30%～80%。

由此可以看出,地热资源将成为我国重要的替代能源之一,大力开发利用地热资源前景广泛;地热发电、供热、供暖、医疗保健、旅游是今后发展的重点。

第二章　地热井工程技术现状

众所周知,地热井是一个重要的地下工程,其质量的好坏不仅影响地热资源的开发利用,而且还对区域地下水资源造成严重的威胁。目前,我国从事地热资源勘探或钻井的队伍众多,主要涉及地矿、石油等行业,同时还存在着一部分个人钻机等,其技术水平和施工质量参差不齐,主要反映在设备、成井工艺和地热旧井的维修等方面。

第一节　地热钻井常用的主要设备及性能

一、石油钻机

石油系统从事地热资源钻探的钻机主要使用大型的石油天然气钻探设备。其特点是设备装备先进、动力大、钻井速度快,主要问题是设备调遣费用高、在城市内施工安装不方便和噪音大,受场地和环境条件限制。目前用于 4 000m 左右地热井施工的石油钻机主要是 ZJ32 或 ZJ50/3150D,其主要技术参数见表 2-1。

表 2-1　ZJ50/3150D 钻机主要技术参数

名义钻井深度	5 000m(114mm 钻杆) 4 500m(127mm 钻杆)	最大钩载	3 150kN
绞车最大输入功率	1 100kW(1 500HP)	游动系统最多绳数	12 根
柴油发电机组台数及功率	3×800kW	转盘开口直径	950mm
钻井泵台数及型号	2×F－1300 泵	钻井钢丝绳直径	35mm
直流电动机台数及功率	6×735kW	泥浆高压管汇	103mm×35MPa

二、水井钻机

目前国内用于深层地热钻井的钻机主要是结合石油和水井钻机的特点加工而成的,同时具备各自的特点和优点。克服了石油钻机的笨重和配备上的一些问题(如柴油机噪音等),具有安装方便、适用性强、重量轻、钻井成本低等特点。主要问题是钻井速度与大型石油钻机相比较低。表 2-2～表 2-5 分别是张家口探矿机械厂和石家庄煤矿机械厂等生产的地热钻井钻机及技术参数。

(一)SPS2000D 型水井钻机

SPS2000D 型水井钻机为机械传动、机械操纵的散装转盘式钻机。主要用于 1 600～2 000m 深层地下水的开采。其主要特点有:钻进能力大;转速范围广;工艺适用性强,既适合空气潜孔锤钻进、牙轮钻进,又适用于一般钻进方法;采用液压或机械猫头;配备水刹车系统。图 2-1 为 SPS2000D 型钻机主机部分,其主要技术参数见表 2-2。

图 2-1　SPS2000D 型钻机主机部分

(二)RPS3000 型水井钻机

RPS3000 型水井钻机为机械传动、气动控制的转盘式钻机,主要用于 2 500～3 000m 地热资源和地下水的开发以及石油、天然气的开发与普查。其主要特点有:钻进能力大;设备能力储备系数大,两台动力并车,动力匹配合理,操作灵活方便,安全可靠。其主要技术参数见表2-3。

表2-2　SPS2000D型水井钻机主要技术参数

名义钻井深度	1 600m(89mm 钻杆)	转盘通径(mm)	520 ,670
	2 000m(73mm 钻杆)		
转速(正、反)(r/min)	25, 37.3, 55.5, 87.3,130.2,93.7	额定扭矩(kN·m)	25
额定单绳提升能力 (kN)	85	大钩额定负荷(kN)	500
提升速度(m/s)	0.84,1.24,1.86, 2.92, 4.36, 6.49	钢丝绳直径(mm)	24
动力机	柴油机 WD615T1, 120kW/1 500r/min	主机质量(t)	约7.5
电动机	Y315S-4,1 100kW/ 1 500r/min	主动钻杆(mm)	108×108×12 000

表2-3　RPS3000型水井钻机主要技术参数

名义钻井深度	2 000m(89mm 钻杆)	转盘通径(mm)	445
	3 000m(73mm 钻杆)		
转速(正、反)(r/min)	33.35, 58.34, 75.21 131.56	额定扭矩(kN·m)	40
卷筒单绳提升能力 (kN)	100, 57.24, 44.35, 25.36	猫头轮转速(r/min)	90,158, 203,356
大钩提升能力(5×6) (kN)	950,543,421,240	Y315-4 电动机	2 台
大钩提升速度(5×6) (m/s)	0.171 5,0.3, 0.386 8,0.677	电动机功率	110kW×2
钢丝绳直径(mm)	35	整机质量(t)	18

(三)ZJ30 钻机(GZ-3000)

ZJ30 钻机采用机械传动,部分气控操作,块装式结构,易于安装、拆卸和运输。功率匹配合理,配双电动机或柴油机两种动力装置,绞车采用带式刹车,并配有水刹车。制动力矩大,提升能力大,制动性能好,下钻安全可靠。

该钻机适用于中深层油井和超深层冷热水的开发,天然气、盐井钻井、煤层气开采等工程,主机部分如图 2-2 所示,其技术参数见表 2-4。

图 2-2 GZ-3000 型钻机主机部分

表 2-4 ZJ30(GZ-3000)型钻机主要技术参数

钻井深度(m)	Φ89 钻杆,3 000; Φ127 钻杆,2 300	转盘通径(mm)	445
转盘转速(正、反) (r/min)	43, 72, 97, 163	转盘扭矩(kN·m)	35
卷扬机单绳慢速提升 能力(kN)	110	可配备电动机	110kW ×2
外形尺寸(长×宽×高) (mm)	9 353×4 800×2 290	主机质量(t)	26.2

(四)TSJ－2000E 型钻机

该型钻机目前在国内占多数,主要用于 1 000～1 600m 地热井施工。机械传动,转盘式,主要特点是:重心低、传动平稳、密封性能良好、机械拧卸钻具并备有搓扣油缸,另外还配备水刹车装置,辅助抱闸机构,可降低卷筒、闸带的损耗,在城市中钻井安装方便、噪音小。适用于深井钻进、中深层石油、盐井矿、地热等开采,其技术参数见表 2-5。

表 2-5　TSJ－2000E 型钻机主要技术参数

钻井深度(m)	Φ89 钻杆,1 400; Φ73 钻杆,2 000	转盘通径（mm）	660
转盘转速(正、反) (r/min)	37,52,84,145	转盘扭矩(kN·m)	21
卷扬机单绳慢速 提升能力(kN)	80	可配备电动机	110kW
外形尺寸(长×宽×高) (mm)	4 340×2 327×1 290	主机质量(t)	6.98

三、钻井泥浆泵

目前常用的钻井泥浆泵有两种,主要是水文水井 BW1200/5(7)系列和石油系列(宝鸡和青州石油机械厂产 QZ3NB－350型),如图 2-3 和图 2-4 所示。

(一)BW1200 泥浆泵

此泵采用更换不同直径的缸套、活塞来改变泵的排量与压力。更换皮带轮的直径可改变泵的冲次,也可以改变泵的排量与压力。

BW1200 泥浆泵为卧式双缸双作用活塞往复泵。适用于钻进深水井、较深岩心勘探孔以及石油修井时向孔内压送冲洗液(泥浆或清水),也可用于石油钻井泥浆泵站输送泥浆。BW1200 泥浆泵结构简单,操作方便,自吸能力强,排量大,易损件少,使用寿命长。

其主要技术参数见表2-6。

图 2-3　BW1200/5(7)泥浆泵

图 2-4　QZ3NB－350 泥浆泵

表 2-6　BW1200 泥浆泵主要技术参数(以张家口探矿机械厂产品为例)

活塞行程(mm)	250
冲次(min^{-1})	71
缸套直径(mm)	150, 130, 110, 85
理论排量(L/min)	1 200, 900, 630, 360
排出压力(75kW)(MPa)	3.2, 4.4, 6.2, 11
排出压力(90kW)(MPa)	4, 5.5, 7.5, 13
外形尺寸(长×宽×高)(mm)	2 845×1 300×2 100
质量(kg)	4 000

(二)QZ3NB－350 泥浆泵

动力配备:电机型号 Y355L1－6,185－260kW(220kW),
985r/min,气控。技术性能指标见表2-7。

表 2-7　QZ3NB－350 泥浆泵性能指标(青州石油机械厂产)

冲次(min^{-1}) 115	理论排量(L/min)						
	100	110	120	130	140	150	160
	486	588	702	822	954	1 092	1 248
最高排出压力(MPa)	20	18	15	13	11	9.5	8.4

四、设备配置存在的主要问题

我国目前地热钻井深度一般在 1 000~4 000m 之间,多数地
热井深度在 2 000m 左右。在钻井过程中其钻机提升能力和转盘
扭矩都能满足正常的钻进,并且具有安装方便和噪音小的特点,比
较适宜在城市中进行地热资源勘探。但是,与石油钻井大型设备
相比存在的突出问题是钻井速度低。

究其原因,主要是泥浆泵泵量及压力满足不了井内冲洗液的
上返速度,导致井底岩屑重复破碎。一般正循环钻进仅仅从排渣
要求泥浆的上返速度为 0.3~0.9m/s,大口径正循环钻井在不同
井径、钻杆直径、环隙上返流速时所需泵量见表 2-8。

通过表 2-8,我们可以得出以下结论:

(1)BW1200/5(7)泵在施工 1 000m 左右水井时,按 350mm
口径设计,则所需泵压最少在 4.4MPa 才能克服井内液柱阻力,此
时所对应的排量只有 900L/min,而表中结果最少需要的排量为
1 548L/min,最大需要 4 644L/min。如果井内克服阻力所需泵压
达到泵的极限压力 11MPa 时,此时的排量仅有 360 L/min,远远
不能满足井内的排渣要求,从而造成井内的多次重复破碎,这就可

以看出我们钻井效率低的根本原因所在。

表 2-8　大口径正循环钻井在不同井径、钻杆直径、

环隙上返流速时所需泵量

钻井直径(mm)	钻杆直径(mm)	环状面积(m²)	环隙上返流速(m/s)								
			0.30	0.35	0.40	0.45	0.50	0.60	0.70	0.80	0.90
			所需泵量(L/min)								
200	89	0.025	450	528	600	675	750	900	1 050	1 200	1 375
	114	0.021	378	441	504	567	630	756	882	1 008	1 134
250	89	0.025	774	903	1 032	1 161	1 290	1 548	1 806	2 064	2 322
	114	0.021	702	819	936	1 053	1 170	1 404	1 638	1 872	2 106
300	114	0.060	1 080	1 260	1 440	1 620	1 800	2 160	2 520	2 880	3 240
	127	0.058	1 040	1 218	1 392	1 566	1 740	2 088	2 436	2 784	3 132
350	114	0.016	1 548	1 806	2 064	2 322	2 580	3 090	3 612	4 128	4 644
	127	0.014	1 511	1 764	2 016	2 268	2 520	3 024	3 528	4 032	4 536
400	114	0.115	2 070	2 415	2 760	3 105	3 450	4 140	4 830	5 520	6 210
	127	0.113	2 034	2 373	2 712	3 051	3 390	4 068	4 746	5 424	6 102
450	114	0.149	2 682	3 129	3 576	4 023	4 470	5 364	6 258	7 152	8 046
	127	0.146	2 628	3 066	3 504	3 942	4 380	5 256	6 132	7 008	7 884
500	114	0.186	3 348	3 906	4 464	5 022	5 580	6 696	7 812	8 928	10 044
	127	0.184	3 312	3 864	4 416	4 968	5 520	6 624	7 728	8 832	9 936
550	114	0.227	4 086	4 767	5 448	6 129	6 810	8 172	9 534	10 896	12 258
	127	0.225	4 050	4 725	5 400	6 075	6 775	8 100	9 450	10 800	12 150

注:本表按 $Q = \pi/4(D^2 - d^2)v = F \cdot v \cdot 60 \cdot 1\,000$

Q 为泵量,L/min;F 为环状面积,m²;v 为环隙上返速度,m/s;D 为井径,mm;d 为钻杆直径,mm。

(2)在超深层地热钻探中,要想提高钻井效率,必须选择大泵量、高压力的泥浆泵。排量大、上返速度大、携渣能力强、井底干净、减少埋钻等井内事故,从而提高钻井效率。

(3)从公式 $Q = \pi/4(D^2 - d^2)v = F \cdot v \cdot 60 \cdot 1\,000$ 可以看出,在现有设备配置情况下提高钻井速度的办法主要有以下两点:第一是选择大直径钻杆或减小钻井直径,以达到减小环状间隙提高上返速度的目的;第二是千方百计调整泥浆的携渣性能,提高排渣速度。如下式(斯托克斯公式):

$$v_0 = (\rho_s - \rho)gd^2/18\mu \tag{2-1}$$

式中　v_0——颗粒沉降速度;

　　　ρ_s——固体颗粒密度;

　　　ρ——水的密度;

　　　g——重力加速度;

　　　d——固体颗粒粒径;

　　　μ——流体黏度。

图 2-5 是固体颗粒沉降理想图示。

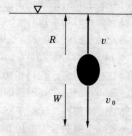

图 2-5　固体颗粒沉降

需要指出的是,上述计算方法是按清水等简单理想条件下考虑的,并且没考虑超径系数,若超径过大时所需泵量更大。实际上,在正循环泥浆钻进过程中是两相流体,主要由水和固体组成;气举反循环钻井中是三相流体,主要由水、气和固体组成。所以,上述结果仅作为一个参考值。实际计算应按多相流体力学理论方法,由于过程复杂在此不做讲述。再者,上返速度过高会造成以下两个问题:

(1)阻力过大,则需泵压过高。见斯托克斯公式(层流条件下):

$$R = 3\pi\mu dv \tag{2-2}$$

式中　R——黏性摩擦阻力;

　　　d——固体颗粒粒径;

　　　μ——流体黏度;

　　　v——流速。

(2)冲刷井壁,在不稳定地层中若上返速度大对于井壁稳定有一定影响。

再者,钻井口径过小,投砾厚度不能得到保证,容易引起涌砂等质量问题;增加钻杆直径又导致钻具加重等。所以,我们在实际工作中,结合自身设备状况和技术条件合理选择有关参数是至关重要的。同时也要求我们在实际工作中结合生产情况和理论,加速科研和技术推广应用工作,不断解决发生的新问题。

由此可见,在深层地热钻井中,泥浆泵的选择和泥浆的配方和管理是至关重要的,也是提高钻井速度和成井质量、预防事故的关键。

第二节　钻井工艺及主要技术方法

一、主要钻井工艺和技术方法

目前,国内外在钻探或钻井领域的工艺和手段较多,主要有正循环泥浆钻进、气举反循环钻进、泵吸反循环钻进、气动潜孔锤钻进、液动潜孔锤钻进;所使用的钻头主要有牙轮钻头、硬质合金钻头、金刚石钻头和复合片超硬钻头等。尽管钻井工艺和技术方法较多,但是针对深层大口径地热井来说,国内钻进工艺主要以三牙轮正循环泥浆钻进为主。当遇到地层破碎和井内泥浆不能正常循环时采用正循环和气举反循环联合钻井方法,以达到正常钻进之目的。

钻井结构一般在二~四开,地层不复杂且井较浅时(1 000~2 500m),多采用二~三开。图 2-6 是松散层和基岩地热钻井典型的结构图。

图 2-6(a)结构适用于开采目的层在第四系、第三系松散层或井深在 800~1 500m 条件下,成井结构简单,可一次下管。管材一

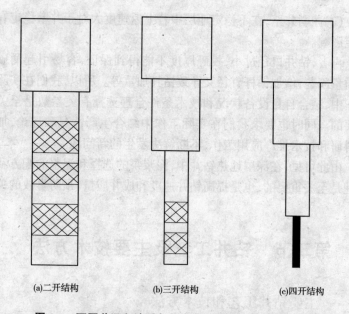

(a)二开结构　　　　　(b)三开结构　　　　　(c)四开结构

图2-6　不同井深和地质条件下典型的钻井结构设计示意图

般为无缝钢管和桥式滤水管,采用石英砂滤料围填过滤;其管径上部多选择 273mm×8mm 钢管,下部为 159mm×6mm 钢管,井径自上而下为 500mm 和 350mm。

图2-6(b)结构适用于开采目的层在基岩内,并且上部有较厚的松散层,井深在 1 000~2 000m 之间。地层稳定时可 2 次下管,并且在开采层可以不下管;若地层破碎不稳定时,为了保证井内钻具的安全和正常钻进,一般先把上部和中间技术套管下入水泥固井后再继续钻进,最后根据目的层情况和地质条件确定滤水管形式(开采层若是灰岩溶洞时,可考虑不下过滤器)。技术套管常用石油套管,一开 339.7mm 或 244.5mm;二开 177.8mm;三开 139.7mm 或 127mm,技术套管钢级为 J55 或 N80。

图2-6(c)结构适用于开采目的层在超深层基岩内,一般井深

在 2 000～4 000m 之间,并且采用石油套管和水泥固井,终孔直径较小,在 152mm 左右且一般为裸眼。

二、超深层地热资源勘探特点及主要问题

(一)主要特点

超深层地热资源勘探与其他石油钻井、固体矿产勘探等相比其主要特点如下:

(1)钻井口径和深度大。

(2)钻遇破碎层时一般不能封闭,从而给钻井带来巨大风险。

(3)钻井深度超过 1 500m 时,对钻具、提升、扭矩、泥浆泵、泥浆、固相控制等方面要求较严。

(4)温度和其他一些气体含量较高。一般超过 50℃时的地下流体和 CO_2、H_2S 等有害气体对人体造成一定的威胁,在一些地区由于地质原因会发生井喷并且会对泥浆性能指标产生影响。

(5)地层条件复杂、施工难度大。超深层地热井所钻遇地层除常见的第四系、第三系地层外,还常遇到三叠系、二叠系、石炭系、奥陶系、寒武系等地层。地层特点是易坍塌、易吸水膨胀、漏失(不返浆)等。

(6)一般情况下采用水泥固井和大口径石油套管,因而投资较高。

(二)主要问题

在松散层或个别基岩地区钻井深度在 800～1 800m 之间时多数采用投砾方式。特别是在河南,几乎所有 1 200m 左右的地热井都采用扩大井径的方式投砾,以达到过滤目的。该工艺弊端主要有:①增加钻井口径,势必会增加钻井成本,并且增加了钻机和钻具的扭矩和危害性;②投砾过程中很容易造成砾料的分选,即:相对粗的颗粒先沉入井底,较细的颗粒则悬浮在上部,使地层与砾料颗粒级配不合理而导致涌砂,特别是较深的地热井,由于砾料下沉

时间长,分选的层次更严重;③投砾过程中,很容易导致不稳定地层坍塌,而使砾料不到位或者砾料泥皮混在一起充填在井管外围,造成洗井困难,甚至严重影响单井出水量;④井斜或下管弯曲时,围填砾料很难保证其厚度的均匀性;⑤石英含量较低的砾料容易造成胶结,最终影响出水量。所以,这种工艺确实难以保证井的质量,众多的水井含砂量偏高、甚至大量涌砂和水量减小就足以佐证这种工艺的不可靠性!

由于地热水矿化度、CO_2、H_2S 和 Cl^- 等含量高,并且具有较高温度。所以,地下金属井管和地面供水设备腐蚀与结垢是一个普遍存在的问题。由此带来的后果是:在短期内出现井管破裂和过滤器堵塞,从而造成地热井涌砂(出浑水)、水温急剧下降和水量减小。

由于钻井深度和口径大,在钻井工程中各类事故经常发生。如断钻杆、断钻铤、掉钻头或牙轮、卡钻等。这些井内事故在 1 000m 左右出现时,一般可在 8~16 小时内处理完毕,其费用一般为 2 万~6 万元;在井深或井内情况复杂的情况下,正常可在 5~15 天内处理完毕,其费用一般为 10 万~40 万元;当井内事故不能处理时,将损失惨重。

总而言之,现代水井工程技术以气举反循环、泵吸反循环、潜孔锤钻进等技术为代表,实现了"高效、低耗、优质"之目的。但是,国内大多数的地热井工程仍为传统的成井工艺,无论是结构设计、材料选择,还是使用管理等方面都存在着一些问题,主要表现在以下几方面。

1. 管理的多元化与不协调性

目前,国内从事水井工程的主要有地矿、水利、农业、石油、化工、有色金属、煤田等部门,从企业类型来看有国家事业单位、国有企业(集团公司)、地方小企业、私有企业、挂靠个体等。计划经济时期行业从事专业性强,并且分工较明确,主要由水利、农业、地矿等部门单位从事水井工程,随着市场经济的发展和深入,这些部门和单位只要有设备和能力的都在从事这些工程,呈现出雨后春笋般的景象,同时其工程设计和施工技术也各有千秋,特别是在成井结构、管材选择、钻进方法上差异较大,直接反映在成井质量(水量、含砂量、使用寿命等)问题。例如:有的水井使用20年没问题,而有的使用不到2年则不能正常使用;同样一个地方,有的水井水量大并且不出砂,有的不出水或大量出砂……这些都是由于管理的多元化与不协调性造成的。特别是在竞争如林的市场中进行不正当的竞争,致使在工程设计或施工中不按规范和科学进行施工,随意按人为因素进行设计或施工。到目前为止,国家很难做到统一规范约束和监理地热井工程市场。其后果和损失将不堪设想,它不仅仅是直接的经济损失,更重要的是由此造成的地下水污染和地面沉降而带来的不可预见的损失和环境灾害问题。

2.钻进方法

美国、德国、日本等国家的钻进方法主要以气举反循环、冲击回转潜孔锤等方式来实现破岩和成孔;我国在"八五"期间对多工艺空气钻进技术在20多个省(市、区)进行了推广和应用,并取得了显著成效。但是,据目前调查结果来看,由于设备配套、经济状况等方面的原因,在大多数的钻进方法上,还是以泵吸反循环、正循环泥浆钻进、冲击钻进为主,特别是在400m以上的普通水井和900m以上的地热井,几乎全是正循环回转泥浆钻进方法,在国内一般地层中的钻进,该方法仍占居着主导地位。

钻进方法方面的主要问题是:①泵吸反循环成孔深度较浅。虽然泵吸反循环能大幅度提高钻进速度和成井质量,缩短洗井时间,但只能使用在较浅的成孔钻进;②正循环泥浆钻进能实现较深的钻井,主要问题是泥浆污染地层,给洗井工序带来了困难,成井速度慢,易造成孔斜和孔内事故,特别是泥浆排放和处理费用高,容易造成水量小等质量事故;③冲击钻进效率低、钻进深度小、设备和辅助材料消耗大等;④冲击回转钻进虽然钻进效率高、成井质量好,可解决硬脆碎地层钻进难问题,但是由于一次性设备投入高,至今仍未广泛推广应用。

3.钻孔与成井结构

国外许多专业公司在水井工程设计方面都有自己的规范和手册,如美国的 Ingersoll-Rand 公司、日本全国地质调查业协会等,均在水井结构、套管、滤水管、防腐处理、水力及流速等设计上有着科学严格的要求和标准。我国地域广阔,地质条件复杂,特别是在目前市场经济条件下,多数情况下的水井工程设计是以工程费用、建设方和承建方的协议为依据,这样就容易造成许多问题。通过我们近几年的水井修复和利用 SJ-2 型水井彩色电视检查系统对河南、安徽、山西、东北等地的近 200 眼不同深度(100~1 200m)的水井观察发现,有许多水井在成井结构设计上存在着突出问题和不合理现象。国内的情况是:为防止细颗粒地层的涌砂问题和增加单井出水量,一般把钻孔的开孔直径设计为550~1 000mm,终孔直径为 250~450mm。许多人认为井径愈大出水量愈大,在实际水井结构设计时单纯地增加井径和填砾厚度,这样无疑增加了设备的负荷和钻井成本,同时也降低了钻井效率。实践和理论研究证明:孔径与出水量不是成正比直线关系。作者曾对河南平顶山沙北、南阳郭滩、漯河等几个水源地不同地层的钻孔资料统计分析后发现,不同地层的钻孔口径对出水量的影响是不同的。在粗颗粒地层(卵砾石、粗砂)中,直径在 300~700mm 之间单位涌水量随钻孔口径增加而增大;在细颗粒地层(细砂、粉砂、亚砂土)中,钻孔口径与单位涌水量关系不大。

成井结构目前国内也没有统一的规范和标准,不同地区差异较大。特别是安徽亳州、阜阳和河南的郑州、开封、商丘等地的中深(地热)井,有的在 70~120m 处变径,下部井管直径为 159~168mm,有的地热井下部管径只有 127~146mm。一旦水井在使用过程中下部井管出现问题和地下水位下降时,给水井的修复和处理带来很大难度,甚至导致水井寿命缩短或报废。

4.井管和成井工序

美国、德国等国家70%的水文水井工程都采用PVC-U塑料井管和滤水管;国内常用的井管有铸铁管、钢管(无缝、直缝、螺旋)、水泥管,有些地区也开始试用PVC-U塑料管。铸铁管主要用于300m以内的水井工程,钢管则用于深井或地热井。其井管本身存在的主要问题是:表面粗糙不平、管壁厚薄不均、材质不均和杂质含量高;滤水管主要以缠丝管为主,近年来在地热井施工中多采用桥式滤水管和笼状滤水管。笼状滤水管是用缠丝管和桥式管焊接成环状组合,再填装砾料后焊封上端。上述两种类型的滤水管主要问题是:①缠丝管的缠丝间距不均、腐蚀或下管时容易造成缠丝损坏;②笼状管成本高,搬运和使用一段时间后砾料下沉,在初始充满砾料的封闭空间内出现"空白"段,从而导致涌砂现象。PVC-U塑料井管在国内虽有少数地区应用,但由于人们的传统观念和产品质量标准等问题,致使这项技术处于徘徊不前的状态。金属井管存在的质量问题和滤水管设计的合理性,将直接影响着水井的质量和使用寿命。

目前,传统的成井工序为:钻孔—扩孔—冲孔换浆—下管—冲孔换浆—投砾—洗井—抽水试验—验收。由其工序繁多且在扩孔、冲孔换浆和洗井工序中容易出现塌孔和洗井困难等问题,主要反映在成井效率低、质量难以保证、成本高三方面,甚至出现报废现象,造成严重的损失。

5.金属井管腐蚀与地下水污染问题

目前,国内金属管材生产厂家众多,质量参差不齐,在管材本身质量上存在表面粗糙、杂质含量高等问题,再加上工业、生活污染严重,致使地下水中有害离子和元素增加,从而加速了金属井管的腐蚀。水井工程是一个地下隐蔽工程,其管材腐蚀问题不易被发现,同时也没有引起人们的足够重视和研究。最新统计表明,由于腐蚀问题每年对国民经济造成的损失占总产值的 2%～4%,对于石油和化工行业却高达 6%,这些还不包括水井和地热井工程中的腐蚀。

腐蚀不仅以惊人的速度吞噬着地球有限的资源并造成巨大的直接损失,而且还会间接地引发其他危害和损失。特别是对于一些特殊场合下的腐蚀或因井管腐蚀而报废的水井,如果不做技术处理往往造成局部或区域性的地下水污染,深层地下水大面积遭受污染势必对人类生活和环境造成巨大危害。

6.地热井使用管理问题

水井的合理使用和科学管理不仅能发挥水井的最大效益,而且还能延长其使用寿命,预防多种事故的发生。但是,人们缺乏对水井工程及其合理科学使用知识的了解,在水井使用和管理中存在较多问题,主要有以下几个方面:

(1)过量(强力)开采。这是一个普遍存在的问题,众多单位为使单位时间内单井出水量增加到最大限度,采用大降深、大泵量的办法进行强力开采,往往造成水井涌砂和使用寿命缩短情况。水井涌砂的根本原因就是由井内压力平衡被破坏、进水速度过高造成的。水和砂二相流速过高很容易加速滤水网磨损和破坏,从而继续造成大量出砂和砾料、坍塌、封闭含水层等恶性循环。

(2)下泵位置不合理或长期不变。有些水井的水泵下入位置直接对着滤水管部分。众所周知,水泵进水口的流速最高,这样很容易造成涌砂问题。至于下泵位置是否定期调整,目前还没有人进行过讨论和研究。但是,据我们对 200 余眼不同地区水井的检测和分析认为:从疏通含水层和防腐方面来考虑,定期调整下泵位置,对延长水井的使用寿命是非常有益的。每个水井的开采段几乎都由上、中、下几段含水层组成,通过 SJ－2 型水井检测系统,可直观地看出:远离下泵位置的含水层堵塞严重,甚至看不到滤水管的水孔。再者,水泵频繁启动时,泵头摆动幅度大,容易碰撞井壁,从而引起井管的磨损腐蚀和溶解氧浓差腐蚀。这样必然使水量减小和加剧井管的腐蚀与结垢(堵塞),从而降低了水井正常使用寿命。

(3)水井长期不使用。新井建好以后,应该经常使用,以免堵塞、结垢和造成围填砾料胶结。有的新井(群井)建好后停放1～2年才开始使用,结果水量远远低于交井时的水量,不得不重新洗井和处理,其原因就是由于胶结、腐蚀等沉淀物重新堵塞和封闭了含水层。通过井下电视观察,这样的水井内悬浮物,固相最多,且井壁上胶结一层具一定强度的白色(锈红色)结垢物。

(4)其他管理方面的问题。造成井内落物事故如砖块、混凝土块、扳手、螺栓等,都是因为管理不妥而造成的问题,这些问题往往导致卡死泵体、起拔困难和充填井管,严重者造成水井报废。例如驻马店二纸厂(3眼)、古城电厂(7眼),水井在厂区外,由于管理疏忽,井内被人用砖、土、石等杂物充填,不能正常使用,经过处理挽救了7眼,另外3眼报废。驻马店正大公司由于工具掉入井内与120m处泵体卡死,起拔泵时,泵管拉断(拉力达24t)。只好把280m水井当做120m井使用,水量减少30%。这些问题一般是因为在保养、更换水泵和新井打好后,没有采取必要的措施,是人为因素造成的,也是最常见的问题和事故。

第三节　地热钻井工程中压差卡钻事故处理

卡钻就是井内的钻具失去活动的自由,既不能转动又不能上下活动。在地热深井钻探过程中,70%～80%的事故为卡钻。卡钻的原因很多,并且产生的机理不同,所以处理的方法也不同。卡钻总是发生在钻进、起钻和下钻三个不同的过程中。常见的卡钻事故主要有压差卡钻、缩径卡钻、沉砂卡钻、砂桥卡钻、键槽卡钻、小井眼卡钻和落物卡钻等七种类型,其中压差卡钻最为常见,所以在此仅介绍此类型的处理方法。

一、压差卡钻的成因

压差卡钻也称粘吸卡钻或吸附卡钻,是钻井工程中最常见的一种井下事故。该类事故主要是井内泥浆压力和地层压力存在较大压差,当钻具静止停靠在井壁泥饼上时,此压差作用力首先把钻具压紧嵌入泥饼中,形成泥饼与部分钻具的封闭面积,使钻具不能自由活动,从而造成卡钻事故。

压差卡钻一般发生在深井段,当井深超过 700m 时就很容易出现此类型的事故。其主要成因如下:

(1)在一定地层压力系数的地层中,使用同样密度的泥浆,其压差值随井深的增加而逐渐增大,发生压差卡钻的概率大大增加。

(2)从理论上讲,钻井液滤失量与压差的平方根成正比关系,亦即压差愈大滤失量愈高,这必然在井壁上造成更厚的泥饼。

(3)随着井深的增加,地层温度逐渐升高,钻井液滤失量增大,泥饼增厚,钻具与井壁的接触面积增大,粘卡力增加。

(4)钻具与井眼间隙过小。

二、压差卡钻的基本条件

压差卡钻事故必须同时具备以下三个条件:

(1)泥浆静液柱压力大于地层孔隙压力。由于卡钻主要是泥浆液柱压力与地层压力之间存在着压差而引起的,若静液柱压力小于或等于地层压力,就不存在压差,那么也就不可能造成该类型的卡钻。

(2)存在渗透性地层,并且在井壁上形成较厚的泥饼。没有渗透性地层就不会形成泥饼,也就不会发生卡钻。形成的泥饼越厚,发生卡钻的可能性越大。

(3)钻具在裸眼井段静止。若前两个条件都存在,而钻具在井内不停地活动,没有静止时间,那么钻具在泥浆四周的受力是均匀的,压差对钻具不起任何作用,也就不可能发生卡钻事故。在钻井过程中突遇停电、设备损坏等,如果不及时采取措施活动钻具,那么在 5 分钟时间内就可能发生卡钻。

三、压差卡钻事故的处理

当遇到此类型的卡钻事故时,应该本着"快速、判断准确、从易到难措施"原则处理,以把损失减小到最小程度。

解除压差卡钻的程序和措施可分为以下几步。

(一)加大井内冲洗液的循环排量,同时大幅度活动钻具

卡钻发生后,若钻头位于井底,可在大钩负荷及钻具屈服强度极限内逐步加大提拉力并反复活动钻具,同时在钻具允许扭转圈数内转动钻具;如果卡钻时钻头距井底 5m 以上,可以快速下放钻具同时强行转动钻具。由于刚卡钻时粘吸力较小,采取这样措施有可能解卡,而且也可避免卡点上移,降低钻具被卡长度及解卡难度。其次在不引起井塌、井漏的前提下,尽可能加大井内泥浆的循环排量,以避免沉积物增加而增大泥饼厚度。

(二)测定被卡位置

利用钻具受力伸长与钻具长度的关系原理,可用下式计算卡点位置。

$$L = K \cdot \Delta L / \Delta P \qquad (2\text{-}3)$$

$$K = E \cdot F / 10^5 \qquad (2\text{-}4)$$

式中　L——卡点深度,m;

　　　ΔL——钻具连续提升平均伸长量,cm;

　　　ΔP——钻杆连续提升时平均拉力,t;

　　　K——计算系数;

E——钢材系数,低碳钢为 $2.1 \times 10^6 \, \mathrm{kg/cm^2}$,合金钢为 $2.2 \times 10^6 \, \mathrm{kg/cm^2}$;

F——管体截面积,$\mathrm{cm^2}$。

根据实际工作经验,一般的卡点多数发生在井内钻具的粗径部分,如比较粗的钻铤处。

(三)置换井内的高密度泥浆

由于是井内压力差引起的卡钻,所以可以采用低密度优质泥浆,条件允许的情况下也可采用清水进行井内循环和冲洗,把井内高密度的泥浆进行置换,从而使井内液柱压力小于或等于地层压力,达到解卡目的。此种方法最为简单且处理费用低,但在地层不稳定的条件下禁止使用该方法,以免造成井壁坍塌或引起新的井内事故,如埋钻、掉块卡钻等。

(四)采用化学—物理法或专用解卡剂处理

当上述办法不能解卡时,则需要采用此种技术方法。化学—物理法和专用解卡剂相比,化学—物理法解卡成本低,一般 1 万~2 万元即可解决问题;而专用解卡剂则费用较高,处理 2 000m 左右的井内事故时需要 8 万~10 万元。所以,在卡钻时可优先考虑使用化学—物理法处理,该方法适用于 800~2 000m 之间,并且上部下过技术套管的井。

1. 化学—物理处理方法原理(XS-1)

我们根据化学和物理原理,在反复试验的基础上研制出一种 XS-1 解卡剂,取得了显著效果。该解卡剂主要作用原理有两个:一个是润滑,减小钻具和井壁间的摩擦阻力;另一个是破坏被吸附卡钻段的黏土和泥浆结构,从而破坏其强度并使其溶解,最终达到解卡之目的。

图 2-7 为黏土矿物和泥浆的基本结构图,它在一定条件下处于一个稳定状态,并具一定的强度和黏结力。XS-1 型解卡剂中的 Cl^- 将直接与黏土中的 Al、Ca、Mg 和 Fe 等离子反应形成可溶

性产物和大量的气体。此时,井内的事故钻具在钻机提升力和井内的气体气举作用下轻而易举地被提升出井外。

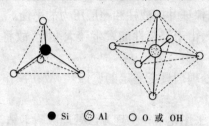

● Si　◎ Al　○ O 或 OH

图 2-7　黏土矿物和泥浆的基本结构图

化学—物理方法处理压差卡钻是一种新的技术方法,具有处理迅速、成本低、劳动强度低、安全可靠等特点。其操作规程和注意事项如下:

(1)出现该类事故后,首先根据地质资料和地层情况确定吸附卡钻的准确位置。

(2)根据吸附面积或长度以及井径、钻具直径,计算出事故段环状体积,以便确定处理剂的具体用量。

(3)根据井内事故钻具长度、地面管线长度、泵及其直径计算井底至地面吸入管之间的体积,以便确定替浆量。

(4)一次性配制好所需 XS-1 型解卡剂,分装在 $30\sim50L$ 塑料桶内密封并运送至事故现场。

(5)选择 $1m^3$ 铁制或塑料容器 2 个平放地面或埋入地面以下,其中一个和泥浆泵吸管连接好,盛放配制好的处理剂;另一个盛放清水或现有的泥浆,以备替浆用。

(6)泵入处理剂前一定要进行泥浆泵检修,确保在短时间内迅速将处理剂泵入事故位置。

(7)泵入处理剂和替浆结束后,将事故钻具拉至大钩和钻杆允许负荷的 $70\%\sim90\%$ 固定不动,并停止泥浆循环。然后注意观察钻压仪的数值变化,当数值逐步降低到井内事故钻具重量 1.5 倍左右时,即可提升钻具。

（8）提钻时将会出现"井涌"或"井喷"现象。所以,要注意安全和泥浆的回灌,保证井内液柱和地层压力的平衡。

（9）提钻后,由于泥浆性能发生较大变化,故将原泥浆进行重新更换。

（10）由于处理剂具有一定的腐蚀性,故在操作中注意人身和设备的防护工作。

总而言之,采用化学—物理方法处理吸附卡钻,是一种行之有效的技术方法。与传统的处理方法相比效果显著,并具有"安全可靠、迅速高效、操作方便、成本低和工人劳动强度低"等优点。

2. 专用解卡剂

解卡剂的作用是减少和收缩接触面积以及渗透进泥饼而降低摩阻或破坏泥饼。常用的解卡剂有纯油类（一般用柴油或原油）、酸类（盐酸或硼酸）、油基解卡剂、水基解卡剂。前两种解卡剂适用于正常压力地区且不易引起井下复杂情况（井喷或井塌）的条件,而后两种则可随意调配不同密度并具有较好的流变性能,故应用更为广泛。

目前最常使用的是 SR－301 型油基解卡剂,它是一种油包水型油基解卡剂,由氧化沥青粉、油酸、环烷酸、OP－7、石灰及渗透剂 JEC 等按一定比例加工而成。使用时加一定量柴油（原油）、水及加重材料。这种解卡剂渗透力强、润滑性好,密度可根据情况任意调配,最高可达 2.00g/cm^3 以上;热稳定性好,在 150℃ 下老化 24 小时无沉淀,流变性能无变化;沉降稳定性好,加重液静止 24 小时后,上下密度差不超过 0.06 g/cm^3,顶替换浆时不增加泵压,具有较好的防塌性能。

第三章 地热井金属井管
腐蚀问题研究

我国的地热资源主要是以流体的方式为载体,主要用于发电、供暖、温泉洗浴、保健医疗、种植养殖、旅游、房地产等产业。地热水作为"热、矿、水"三位一体的资源,属清洁能源和保健资源,具有用途广泛、无污染、节省其他资源、利于生态和环境保护等优点。所以说,地热资源是一个宝贵的地下资源,科学合理开发利用地热资源具有广阔的市场应用前景,同时也将取得显著的经济效益、社会效益和环境效益。如采用锅炉供热,每万平方米面积取暖,在取暖期内产生 SO_2 气体 4.26t、烟尘 7.11t、垃圾 143.8t;如果采用地热供暖,不仅可避免上述的环境污染,还可省去煤、机械费用、大量的人工投入,并且可大大降低供暖成本(陈思群等,地热资源开发利用与科学管理)。再如,北京市一套燃气锅炉的运行成本是 40 元/($m^2 \cdot a$),而地热供暖的成本是 20 元/($m^2 \cdot a$)。因此,利用地热资源的效益是显而易见的,同时在可持续发展方面也具有重大的现实意义和广阔的应用前景!

随着社会文明程度的进一步提高和经济的迅速发展,地热资源开发的项目逐渐增多。特别是我国北京、天津、西安等地发展较快,并已形成一定的规模。其他地区如河南的郑州、开封、周口、漯河、鹤壁以及安徽、云南、山东、西北地区等也正在兴起。

目前,我国地热资源开发的主要手段是利用钻机通过回转的方式钻井,然后再利用水泵提取地下的热水,其井管一般为金属管材(石油套管或普通无缝钢管)。当温度小于 100℃ 时,热能通过水作为介质(流体)供人们直接利用,如温泉洗浴、供暖、种植养殖等。根据当前的技术经济和地质情况,地热资源开发利用深度一般在 600~3 500m 之间。地热井工程属于重要的地下隐蔽工程,不同于一般的地面工程,其投资一般都在 60 万~500 万元。如果不提高地热井工程的技术含量,不仅会缩短其使用寿命,而且还可引发一系列的环境问题。

金属被腐蚀而造成的损失是惊人的,每年因腐蚀而报废的金属材料和设备,约相当于当年金属产量的 1/3。据最新统计,由于金属腐蚀问题每年对国民经济造成的损失占总产值的 2%~4%,对于石油和化工行业高达 6%,这些还不包括地下金属井管的腐蚀。据美国国际标准局(NBS)调查,1975 年美国因腐蚀所造成的损失竟高达 700 亿美元。

供水井管主要有钢管、铸铁管、PVC-U 塑料管等,我国的地热(中深)井管一般为钢管,300m 以内的水井井管以铸铁管占多数。据我们近几年用具有国际先进水平的 SJ-2 型井下电视彩色检查系统对郑州、开封、漯河、周口、驻马店、新乡等地 300 余眼水井的检测发现,井管腐蚀是普遍存在的问题和现象,特别是河南省农科院、河南省国家税务局、新密市卷烟厂、开封 20 集团军、黄河渔场、黄河迎宾馆、周口电业局等井管的腐蚀最为典型。其中地热井投资均在 100 万元以上,在使用 1~2 年后出现井管腐蚀,从而出现了水温下降、地下水质污染、涌砂(出浑水)等问题,导致水井不能正常使用。地下金属井管腐蚀不仅造成直接的经济损失,而且还产生潜在的危害和环境问题,主要表现在以下几方面:

(1)水井涌砂和地面沉降。金属井管腐蚀破裂位置在砂层或土层时,水井在使用过程中出现涌砂(出浑水)或出砾料问题,轻者加速抽水设备的磨损,堵塞管道,不能正常使用;重者地面产生不均匀沉降,造成周围建筑物倾斜或开裂,严重时可造成泵房下沉。如开封第一监狱(泵房下沉 1m)、杞县化肥厂(泵房及设备塌陷至地面以下)等井,均是在含砂量过高时,长期抽水而造成的沉降问题。

（2）水温下降和水质污染。井管腐蚀破裂在水井止水封闭位置以上时，地表浅层水将与下部深层水混合。浅层水污染时，势必造成该井或该井周围的区域性地下水污染；当该井是地热井时，上下水混合后水温将下降，起不到地热井的作用。这种问题最常见，其危害也最严重，如河南省国家税务局地热井（水污染发臭、水温仅28℃）、河南省广播电视发射台水井（水污染发臭）等。

（3）水量减小和地层坍塌。井管腐蚀破裂后，在水流作用下地层中的砂粒一部分抽到地面，另一部分淤积井底堵塞下部的滤水管，致使水量减小；在一定极限后，地层中将形成大空洞，一旦地层压力失去平衡，上部坍塌封闭下部含水层，最终导致水井抽不出水而报废。

上述问题的出现均对环境造成破坏，直接影响着人们的生活和生产。最典型的金属井管局部腐蚀如河南省农科院、开封20集团军、黄河渔场等千米地热井，这些井都是使用不到3年就出现出砂和水温下降的现象，我们通过井下电视检测发现，在100～200m、466m等处由于井管局部腐蚀而形成20多个20mm×50mm穿孔，导致上下水混合和涌砂。其他水井均在不同程度上出现井管破裂、腐蚀和堵塞花管，因井管腐蚀而造成的水井报废和修复，其浪费是惊人的。所以说，井管局部腐蚀的危害不仅在于金属本身受损失，更严重的是由此带来了巨大的经济损失和环境问题。

目前，国内外对大气中的金属或设备的腐蚀研究成果较多，对于地热资源方面的开发和利用，其腐蚀问题研究也刚刚开始，并且仅局限于以地面设备和管道为研究对象。国外对金属腐蚀问题的研究很重视，目前已开始利用先进的技术和工艺进行材料的表面处理技术研究。表面处理工程技术是20世纪80年代出现的新概念，各国竞相把该技术的研究作为其发展规划，它是目前世界10

项关键技术之一。美国把该项技术的研究列为 20 世纪 90 年代的重要项目。它包括激光束或电子束表面改性、电化学沉积转化、热涂(HS)、物理气象沉积(PVD)、气象外延(VPE)、液相外延(LPE)等,其主要功能是抗均匀腐蚀、防晶向腐蚀与剥蚀、防电偶腐蚀、抗点蚀、抗高温氧化与热腐蚀、延缓腐蚀疲劳、抗应力腐蚀和氢脆、抗冲刷、隔热耐酸碱等。

国内水井工程的井管材料一般为钢管、铸铁管、水泥管。城镇供水的井管主要以铸铁管和钢管为主,特别是 600~1 200m 的地热井其井管均为普通的钢管。由于钢管和铸铁管的物理力学性能指标差异较大,故在 0~300m 的水井工程中采用铸铁管;在 300m 以上的水井工程中采用无缝钢管或有缝钢管;很少有水井采用 PVC-U 塑料井管。国外从 20 世纪 70 年代初就开始推广应用 PVC-U 塑料井管,特别是美国、德国等国家 70% 以上的水文水井工程用井管都是 PVC-U 塑料管,用这种材料来防止腐蚀,以提高水井的使用寿命。我国也曾对 PVC-U 塑料管在水文水井工程中的应用做过研究和应用,但是,由于种种原因进展很慢,并且在地热井工程中还不能应用。对于地热金属井管腐蚀和防腐问题到目前为止还没有得到根本解决。尽管在普通管道和石油油井等金属防腐问题上,已有一些方法和技术,而对地热井工程中的腐蚀问题,一些单位也只是对流经地面上使用管道和设备中的地热水进行一次除氧过程。因此,对于生活饮用水和大多数地热井地下金属井管腐蚀机理与治理技术研究尚属首次,是一个新课题,特别是把地下工程与环境问题结合起来进行研究,同样是一个理论和技术上的创新。

现代技术的高速发展和人们环境意识的提高,势必会对传统水井工程中的工艺、材料等提出更高的要求。现代和未来水井工程技术将会把环境问题作为一个重要的内容加以补充和完善。具体来说就是根据不同地区选择不同材料(表面处理技术)和工艺的成井方法,进行腐蚀速度的控制和现代电子技术的检测,同时准确预测使用寿命和实施解决腐蚀的办法,避免由此带来的一系列环境问题。

第一节　地热井金属井管腐蚀机理与影响因素

一、腐蚀的定义及金属井管腐蚀速度的表示方法

(一)腐蚀的基本概念和定义

腐蚀(Corrosion)这个术语起源于拉丁文"Corrdre",意为"损坏"、"腐烂"。20世纪50年代前腐蚀的定义只局限于金属的腐蚀,它是指金属在周围介质(最常见的是液体和气体)作用下,由于化学变化、电化学变化或物理溶解而产生的破坏。随着非金属材料(特别是合成材料)的迅速发展,它的破坏才引起人们的重视。从20世纪50年代以后,腐蚀的定义扩大到所有材料,定义为"由于材料和它所处的环境发生反应而使材料和材料的性质发生恶化的现象",腐蚀对材料影响表现为色泽改变和结构性能的改变。

(二)腐蚀速度的表示方法

腐蚀速度又称为腐蚀速率或腐蚀率。文献中有各种表示腐蚀速度的方法和单位。旧的文献中广泛使用 mpy(密耳/年)作为腐蚀速度的单位,其中的 mil(密耳)是千分之一英寸(inch),y 则代表 year(年),故 mpy 的物理意义是:如果金属表面各处的腐蚀是均匀的,则金属表面每年的腐蚀深度将是多少 mil。

目前,一般均采用 SI 制(国际单位制),SI 制采用 mm/a (毫米/年)或 μm/a(微米/年)作为腐蚀速度的单位。它的物理意义是:如果金属表面各处的腐蚀是均匀的,则金属表面每年的腐蚀深度将是多少 mm(毫米)或 μm(微米)。

换算关系:1mpy＝0.025mm/a＝25μm/a

金属遭受腐蚀后,其质量、厚度、机械性能、组织结构、电极过程都会发生变化,这些物理性能和力学性能的变化率可用来表示金属的腐蚀程度。在均匀腐蚀的情况下通常采用质量指标、深度指标和电流指标来表示。

1.质量指标

质量指标就是把金属因腐蚀而发生的质量变化,换算成相当于单位金属表面积与单位时间内的质量变化的数值。所谓质量变化,在失重时是指腐蚀前的质量与消除腐蚀产物后质量之间的差值;在增重时系指腐蚀后带有腐蚀产物时的质量与腐蚀前的质量之差,可根据腐蚀产物容易去除或完全牢固地附着在试件表面的情况来选取失重或增重表示法。

$$v = \Delta W/(S \cdot t) \qquad (3\text{-}1)$$

式中　v——金属的腐蚀速度,g/(m²·h);

　　　ΔW——腐蚀前后金属质量的变化,g;

　　　S——金属的表面积,m²;

　　　t——腐蚀进行的时间,h。

2.深度指标

此指标表示单位时间内金属的厚度因腐蚀而减少的量。在衡量不同密度的各种金属的腐蚀程度时,有以下换算关系:

$$v_L = v \times 8.76/\rho \qquad (3\text{-}2)$$

式中　v_L——腐蚀的深度指标,mm/a;

　　　ρ——被腐蚀金属的密度,碳钢 7.85,g/cm³。

3.电流指标

该指标以金属电化学腐蚀过程中阳极电流密度的大小来衡量金属电化学腐蚀速度。可通过法拉第定律把电流指标和质量指标联系起来,两者关系为

$$i_a = v \cdot n \times 26.8 \times 10^{-4}/A \qquad (3\text{-}3)$$

式中　i_a——腐蚀的阳极电流密度，A/cm^2；

　　　v——金属的腐蚀速度，$g/(m^2 \cdot h)$；

　　　n——阳极反应中化合价的变化值；

　　　A——参加阳极反应的金属原子量，g。

二、地热(中深)井金属井管腐蚀机理

(一)金属腐蚀的基本原理

金属井管的腐蚀是指金属井管在周围介质(大气、土壤和地下水)作用下，由于化学变化、电化学变化或物理溶解作用而产生的破坏。它包括金属材料和环境介质两者在内的一个具有反应作用的体系。从热力学观点看，绝大多数金属都具有与周围介质发生作用而转入氧化(离子)状态的倾向。因此，金属发生腐蚀是一种到处可见的自然现象。

自然界中多数金属通常是以矿石形式存在的，即以金属化合物的形式存在。如铁在自然界中多为赤铁矿，其主要成分是 Fe_2O_3，而铁的腐蚀产物——铁锈，其主要成分也是 Fe_2O_3。可见，铁的腐蚀过程就是金属铁恢复到它的自然存在状态(矿石)的过程。但若要从矿石中冶炼金属，则需要提供一定的能量(热能或电能)才可完成这种转变。所以，金属状态的铁和矿石中的铁存在着能量上的差异，即金属铁比它的化合物具有更高的自由能。所以，金属铁具有放出能量而回到热力学上更稳定的自然状态——氧化物、硫化物、碳酸盐及其他化合物的倾向。显而易见，能量上的差异是产生腐蚀反应的推动力，而放出能量的过程便是腐蚀过程。伴随着腐蚀过程的进行，将导致腐蚀体系自由能的减少，故它是一个自发过程。

从热力学的观点看，金属腐蚀破坏是因为金属材料处于不稳定状态，它有与周围环境介质发生作用转变成金属离子的倾向。地下金属井管腐蚀、结垢与破坏影响因素较多，并且其腐蚀过程复

杂。但是,从宏观上来看,可把井管破坏的基本特征分为全面腐蚀和局部腐蚀两大类。

(二)全面腐蚀

全面腐蚀又称均匀腐蚀或普遍腐蚀,其特征是:腐蚀过程在金属的全部暴露面上进行(表面腐蚀分布在整个金属表面上),可以是均匀的,也可以是不均匀的,在整个腐蚀过程中金属逐渐变薄,最后被破坏。如:井管在 pH 值小于 5 的地下水环境中,则属于全面腐蚀。但全面均匀腐蚀的危险性相对较小,因为知道了腐蚀速度,即可预测材料的使用寿命,并在地热井设计中将此作为一个重要的依据。假如普通的钢管均匀腐蚀速度是 0.025mm/a,那么,壁厚 6mm 的金属井管的正常使用寿命为 240 年。实际中普通水井的金属井管壁厚一般在 6~9mm 之间,而正常的使用寿命仅为5~20 年,地热井的正常使用寿命则更短,一般在 2~10 年。这说明全面腐蚀对于金属井管的破坏性是次要的,主要是局部腐蚀破裂。

(三)局部腐蚀

局部腐蚀主要集中在金属表面的某个地方或区域,出现严重腐蚀或穿孔,而其他表面部分几乎未受破坏。在钻井工程中常见的局部腐蚀主要有小孔腐蚀、电偶腐蚀、应力腐蚀、晶间腐蚀、选择性腐蚀、缝隙(垢下)腐蚀、浓差电池腐蚀、磨损腐蚀、生物腐蚀等。局部腐蚀的危害性最大,有时防不胜防,并且受材料、环境、地下水类型等诸多因素影响。

按照金属腐蚀过程的特点分类,可分为化学腐蚀、电化学腐蚀、物理腐蚀三种类型。

化学腐蚀是指金属表面与非电解质直接发生纯化学作用而引起的破坏。其反应过程的特点是在一定条件下,非电解质中的氧化剂直接与金属表面的原子相互作用而形成腐蚀产物,即氧化还原反应是在反应粒子相互作用的瞬间与碰撞的那一个反应点上完成的。这样,在化学腐蚀过程中,电子的传递是在金属与氧化剂之间进行的,因而没有电流产生。如地下水、土壤中酸含量偏高或被酸污染的地层以及酸洗井时对井管的腐蚀即属该类型的腐蚀。

物理腐蚀是指金属由于单纯的物理溶解作用所引起的破坏,如许多金属在高温溶盐、溶碱及液态金属中可发生物理腐蚀。对于钻井工程来说一般不涉及物理腐蚀。

在河南,地热(中深)井金属井管腐蚀常见的类型主要是电化学腐蚀,并且其危害也最大。化学腐蚀和物理腐蚀基本可以不考虑或忽略不计。

(四)金属的电化学腐蚀

金属与电解质溶液作用所发生的腐蚀,是由于金属表面发生原电池作用而引起的,这一类腐蚀称电化学腐蚀。如:电偶腐蚀、缝隙腐蚀、生物腐蚀等均属电化学腐蚀。其中活泼的部位成为阳极,腐蚀学上把它称为阳极区;而不活泼的部位则称阴极,腐蚀学上把它称为阴极区。当金属井管表面粗糙、杂质含量高、水中溶解氧浓度差等问题存在时,在水介质中的金属井管都会形成许多腐蚀电池。电极电位小者成负极,容易失去电子遭受腐蚀;电极电位大者成正极,正极区不遭受腐蚀。在一般中性水中,其腐蚀机理为电化学的氧化还原反应,其电极反应式为:

阳极区　　$Fe \longrightarrow Fe^{2+} + 2e$

阴极区　　$\frac{1}{2}O_2 + H_2O + 2e \longrightarrow 2OH^-$

当亚铁离子和氢氧根离子在水中相遇时,则生成 $Fe(OH)_2$ 沉淀

$$Fe^{2+} + 2OH^- \longrightarrow Fe(OH)_2 \downarrow$$

图 3-1 为金属井管(碳钢)在含氧中性水中的腐蚀机理示意图。

若水中的溶解氧比较充足,则 $Fe(OH)_2$ 会进一步氧化,生成

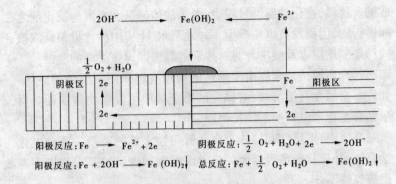

$$阳极反应：Fe \longrightarrow Fe^{2+} + 2e \qquad 阴极反应：\frac{1}{2}O_2 + H_2O + 2e \longrightarrow 2OH^-$$

$$阳极反应：Fe + 2OH^- \longrightarrow Fe(OH)_2\downarrow \qquad 总反应：Fe + \frac{1}{2}O_2 + H_2O \longrightarrow Fe(OH)_2\downarrow$$

图 3-1　金属井管(碳钢)在含氧中性水中的腐蚀机理

黄色的锈 $FeOOH$ 或 $Fe_2O_3 \cdot H_2O$（如图 3-2 所示），而不是 $Fe(OH)_3$。若水中的氧不足，则 $Fe(OH)_2$ 进一步氧化成为绿色的水合四氧化三铁或黑色的无水四氧化三铁，如图 3-3 为黄河迎宾馆 600m 井底排出大量的黑色腐蚀产物。

井管挂片试验时容器内腐蚀产物(120d)
（$FeOOH$ 或 $Fe_2O_3 \cdot H_2O$）

图 3-2　黄褐色腐蚀产物　　　　**图 3-3　黑色的腐蚀产物**

三、影响金属井管腐蚀的主要因素

金属腐蚀是金属与周围环境作用而引起的破坏。影响金属腐蚀行为的因素很多,它既与金属自身的因素有关,又与腐蚀环境密切相关。特别是地下金属井管,其腐蚀过程和影响因素更为复杂。

(一)金属井管材料的影响

1.金属的化学稳定性

金属耐腐蚀性的好坏,首先与其本性有关。各种金属的热力学稳定性可近似地用其标准电位来评定。电位越正,金属的稳定性越高,金属愈耐腐蚀。反之,金属离子化倾向越高,金属就越易被腐蚀。但是也有一些金属如 Al 等,虽然活性大,由于其表面易生成保护膜,所以具有良好的耐腐蚀性。

图 3-4 为部分金属和合金的电偶序(即标准电极电位)。金属的电极电位和其耐腐蚀性只是在一定程度上近似地反映其对应关系,并不存在严格的规律。

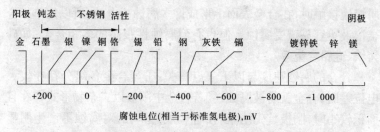

图 3-4 部分金属和合金的电偶序(标准电极电位)

从图 3-4 中可以看出,不同的金属其标准电极电位值不同,在河南几乎所有的地热或中深井工程中使用的金属井管材料为 20 号钢,即含碳(C)量在 0.17%～0.24%;有些 200～300m 的供水井采用的井管为铸铁,其含碳(C)量大于 2.06%;部分 300～600m 的中深井采用球墨铸铁管,其含碳(C)量在 3.8%～4.0%。另外,所有的井管材料中还含有 Mn、S、P、N、Si 等杂质。图 3-4 中从左到右金属的活泼性依次增强,其中,石墨(C)、钢、灰铁、镀锌铁都是钻井工程中常用的材料,并且其电极电位相差较大,从而组成了许多腐蚀原电池。

2.金属成分的影响

由于纯金属的各种性能不能满足工业要求,因此在实际应用中多采用它们的合金(如改善钢材的质量、强度、可加工性等)。合金又分单相合金和多相合金。

(1)单相合金:单相固溶体合金,由于组织均一,具有较高的化学稳定性,因而耐腐蚀性就较高,如图 3-4 中的左边的不锈钢。

单相合金的腐蚀速度与稳定的贵金属组分的加入量有一特殊的规律叫"n/8"(原子分数)定律,也就是当贵金属(化学稳定性较高的金属)组分的含量占合金的 12.5%、25%、50% 等时,合金的耐腐蚀性才突然提高。

(2)两相或多相合金:由于各相的化学稳定性不同,在与电解质溶液接触时,在合金表面上形成许多腐蚀微电池,所以比单相合金溶液更容易遭受腐蚀。但也有耐腐蚀性很高的多相合金,如硅铸铁、硅铅合金等。

合金的腐蚀速度与以下三点有关:①当合金各组分存在较大电位差时,合金就易被腐蚀;②若合金中阳极以夹杂物形式存在且面积较小时,阳极首先溶解,使合金成为单相,对腐蚀不产生明显的影响;③若合金中阴极相以夹杂物形式存在,阳极作为合金的基底将遭受腐蚀,且阴极夹杂物分散性越大,腐蚀就越强烈。

3.金属表面状态的影响

腐蚀过程主要在金属与介质之间的界面上进行,所以,因腐蚀造成的破坏一般先从金属表面开始,然后伴随着腐蚀的进一步发展,腐蚀破坏将扩展到金属材料内部,并使金属性质和组成发生改变。金属表面状态对腐蚀过程的进行有显著的影响。一般在金属的表面上具有钝化膜,故金属的腐蚀过程与这一保护层的化学成分、组织结构等密切相关。

表面光滑的金属材料表面易极化,形成保护膜。而加工粗糙不光滑的金属表面容易腐蚀,如金属的擦伤、缝隙等部位都是天然的腐蚀源。粗糙的表面易凝聚水滴,造成大气腐蚀,而深洼部分则易造成氧浓差电池而遭受腐蚀。

4．金相组织与热处理的影响

金属的耐腐蚀性能取决于金属及合金的化学组分,而金相组织与金属的化学组合密切相关。当合金的成分一定时,随加热和冷却能进行物理转变的合金,其金相组织就与热处理有密切关系,它将随温度变化产生不同的金相组织,而后者的变化又影响了金属的耐腐蚀性。

5．变形及应力的影响

金属在加工过程中变形,产生很大的内应力,其中拉应力能引起金属晶格扭曲而降低金属电位,使金属腐蚀过程加速,而压应力则可降低腐蚀破裂的倾向。在钻井工程中,所有的金属井管在下管过程中均受到较大的拉应力和焊接应力,其中在井管的上部拉应力最大。

(二)环境的影响

地下金属井管所处的腐蚀环境主要有大气(地下水位裸露在空气中的井管部分,一般在 0～100m 之间)、土壤和地下水,其中土壤和地下水环境是金属井管腐蚀的主要介质。

1．介质酸碱性对腐蚀的影响

介质的 pH 值变化对腐蚀速度的影响是多方面的。因为氢离子是有效的阴极去极剂,所以当 pH 值变小时,将有利于腐蚀的进行。另外,pH 值的变化对金属表面膜的溶解及保护膜的生成均有影响,因而也将影响到金属的腐蚀速度。河南省地热(中深)井的水,一般 pH 值均大于 7,故在实际中的影响不大。但是,对于一些化工厂和需要酸处理的厂矿企业,由于酸的渗漏致使土壤或地下水遭受污染,将会产生此类型的腐蚀。

介质酸碱性对腐蚀速度的影响有以下三类:

(1)标准电极电位较正,稳定性高的金属,腐蚀速度较小,pH值的影响也小,如图 3-5(a)所示。

(2)两性金属如锌、铝、铅等,表面膜在酸性和碱性溶液中均可溶,只有在中性溶液中才具有较小的腐蚀速度,如图 3-5(b)所示。

(3)一般金属如铁、镁等,其保护膜只溶于酸而不溶于碱,如图 3-5(c)所示。

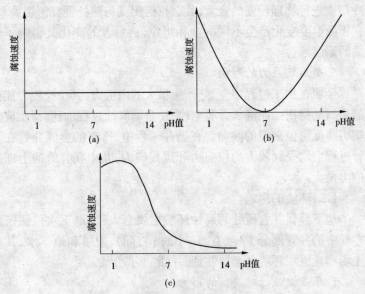

图 3-5 介质 pH 值对金属腐蚀速度的影响

2.介质的成分及浓度的影响

不同成分和浓度的介质,对金属腐蚀有不同的影响。在非氧化性酸中(如盐酸),金属随介质浓度的增加,腐蚀速度加大。而在氧化性酸中,当浓度增加到一定数值时,表面即生成钝化膜,腐蚀就出现一个峰值,即使再增加浓度,腐蚀速度也不会增大。如碳钢、不锈钢等在浓度为 50% 左右的硫酸中腐蚀最为严重,当浓度增加到 60% 以上时,腐蚀反而急剧下降。

在稀碱液中,铁能生成不易溶解的氢氧化物,使腐蚀速度减小;但当碱液的浓度增加时,则会使其溶解,铁的腐蚀速度就会增大。

不同盐类溶液的性质对腐蚀也有较大的影响。非氧化性酸性盐类能引起金属的强烈腐蚀。中性及碱性盐类对金属的腐蚀主要是氧的去极化作用,腐蚀性要比前者小。氧化性盐类有钝化作用,如果浓度合适,可作为缓蚀剂。

(1)地下水中的阴离子:金属井管的腐蚀速度与水中的阴离子的种类有密切关系。地下水中不同的阴离子在增加金属腐蚀方面具有以下顺序:

$$NO_3^- < CH_3COO^- < SO_4^{2-} < Cl^- < ClO_4^-$$

温度较低的水环境情况下,Cl^- 等活性离子能破坏碳钢,增加其腐蚀反应的阳极过程速度,引起金属井管的局部腐蚀。

(2)硬度:地下水中的钙镁离子浓度总和称水的硬度。钙镁离子浓度过高时,则会与水中的碳酸根、磷酸根或硅酸根作用生成碳酸钙和硅酸镁垢,引起垢下腐蚀。

(3)溶解气体:在地下水中存在着氧、二氧化碳、硫化氢、二氧化硫等可溶解气体,它们对金属井管的腐蚀起着一定的作用。其中,氧在中性水中对金属的腐蚀起着重要的作用。二氧化碳在地下水中生成碳酸或碳酸氢盐,使水中的 pH 值下降,水的酸性增加,将有助于氢的析出和金属表面膜的溶解破坏,没有氧存在时,溶解状态的二氧化碳会导致钢的腐蚀,在地热矿泉水井中含有大量的二氧化碳。在地热或医疗矿泉水井中存在较高浓度的硫化氢、二氧化硫,这两种溶解性气体同样对钢有着很强烈的腐蚀作用。图 3-6 为腐蚀速度与溶解氧、水温度的关系曲线,从图中可以看出,同样浓度的溶解氧在温度较高条件下腐蚀速度比普通冷水高。

实际中,有些情况下腐蚀速度与温度的关系较为复杂,随温度的增加,氧分子溶解度减小,氧浓度下降,腐蚀速度也下降,如图 3-7 所示。

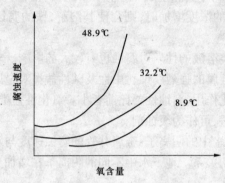

图 3-6　腐蚀速度与溶解氧、水温度的关系

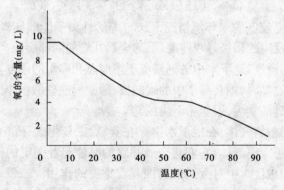

图 3-7　溶解氧与温度的关系

3. 井内悬浮固体影响

在所有的地热(中深)井中都不同程度存在着由泥土、砂粒、尘埃、腐蚀产物(垢)、微生物黏泥等不溶性物质组成的悬浮物。当水井流速较低或不经常使用的时候,这些悬浮物容易在井壁管上或

缝隙处、变径处、滤水管等部位生成松散的沉积物,从而引起垢下腐蚀。当抽水速度过高或强力开采时,则容易引起磨损腐蚀。

4. 井内流速的影响

在地热(中深)井金属井管腐蚀主要是耗氧腐蚀,因此在流速低的情况下,金属的腐蚀速度随水的流速增加而增加。这是因为水的流速增加,水携带到金属表面的溶解氧的含量也随之增加。当水的流速足够大时,足量的氧到达金属的表面,使金属部分或全部钝化,此时金属的腐蚀速度将下降。若水的流速继续增大时,水对金属表面上的钝化膜的冲击腐蚀将使金属的腐蚀速度重新增大。

5. 井内地下水温度的影响

一般情况下,金属的腐蚀速度随温度的增加而增加。图3-8是金属井管的挂片腐蚀试验图片。

从图中可以看出,同样的金属井管挂片,在不同温度条件下,其腐蚀速度和结垢速度是不同的,其中在加热(50℃)条件下结垢物最多。许多地热井的金属井管在2～3年就出现腐蚀破裂或堵塞,足以证明了上述结论。

6. 土壤中微生物对腐蚀的影响

土壤中细菌作用而引起的腐蚀称为生物腐蚀。一般来说,腐蚀金属井管的微生物有6种类型,其中关系密切且往往伴生在一起的是铁细菌和硫酸盐还原菌两种类型。铁细菌数量随着地下深度增加稍微有所下降,而硫酸盐还原菌数量却明显增加。两种细菌在1～4月份含量都较低,而6～9月份含量最高。其繁殖受地下温度影响,在常温范围内细菌数增加,低温或高温时减少。

在一些缺氧的土壤中有细菌参加腐蚀过程,细菌腐蚀是由于硫酸盐还原菌的作用引起的。硫酸盐还原菌生长在土壤中,是一种厌氧菌,它参加电极反应,将可溶的硫酸盐转化为硫化氢,并和铁作用生成硫化亚铁。这种细菌生长在潮湿并缺氧的土壤中,当土壤的pH值在5～9之间、温度在25～30℃时最有利于细菌的生

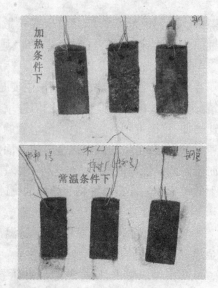

加热条件下

常温条件下

图 3-8　不同温度下金属井管材料腐蚀与结垢速度

长和繁殖。硫酸盐还原菌的腐蚀通常有以下 3 种特征:①腐蚀坑充满黑色腐蚀产物,用盐酸处理时释放出硫化氢;②腐蚀产物下面的金属表面往往是发亮的;③腐蚀坑表面外形是圆型,其横断面是圆锥型,在坑内呈同心环状。

实际中,金属井管表面由于两种细菌对微电池起着阴阳极的去极化作用而加速井管的电化学腐蚀,这种电化学腐蚀的持续进行,使腐蚀产物体积不断增大,在井管表面鼓起包来,这就是我们常见的"锈瘤"。水井中一般在静水位和动水位之间或附近最常见,其深度在 0～300m 之间最为严重,而在水温 40℃ 以上时几乎没有这些现象。

7. 井内电偶对腐蚀的影响

不同的金属材料和合金与腐蚀介质接触时将产生电偶效应,电位较低的金属在电偶中成为阳极,被强烈腐蚀。电偶腐蚀的动力是两种金属间的电位差,差值越大,阳极腐蚀就越严重。

对于电偶腐蚀还应特别注意距离效应和面积效应。在电偶中,当阳极面积较大时,腐蚀并不显著,如面积过小,阳极的电流密度过大,就易发生严重的孔蚀。再者就是距离效应。电偶效应引起的加速腐蚀,一般在连接处最大,距离越远腐蚀越小,距离的影响还取决于介质的导电率。

电偶影响并不都是有害的,阴极保护就是利用电偶腐蚀的原理。

第二节　地下热水中主要成分及其来源

各种地下热水都是由水和杂质组成的,它们决定了不同区域热水的特征。热水中杂质种类很多,按其性质可分为无机物、有机物和微生物;按其颗粒大小可分为悬浮物、胶体、离子和分子(即溶解物)。这些杂质的存在都对腐蚀有着直接的影响。

一、悬浮物

悬浮物颗粒较大,容易除去。当水静止时,密度较小的悬浮物会上浮水面,它们主要是腐殖质等一些有机化合物;密度较大的则下沉,它们主要是砂子和黏土类无机化合物。在一些浅井、水泥管井或未止水的水井内常出现悬浮物。

二、胶体物

胶体微粒是许多分子和离子的集合体。这些微粒由于表面积很大,因此有很强的吸附性,在其表面常吸附很多离子而带电,结果使同类胶体因带同性电荷而相互排斥,在水中不能相互结合形成更大的颗粒,而稳定在微小的胶体颗粒状态下,使这些颗粒不能依靠重力自行沉降。在地下水中,这些胶体主要是腐殖质、微生物黏泥以及铁和一些腐蚀产物的化合物。

三、溶解物质

地下水中的溶解物质多数是离子和一些可溶气体。

(一)地下水中主要离子

溶解在地下水中常见的离子如表 3-1 所示,其中以第 I 类最为常见。

表 3-1 溶解在地下水中的各种离子

类别	阳离子	阴离子	浓度(mg/L)
I	Na^+ K^+ Ca^{2+} Mg^{2+}	HCO_3^- Cl^- SO_4^{2-} $H_3SiO_4^-$	从几到 几万不等
II	NH_4^+ Fe^{2+} Mn^{2+}	F^- NO_3^- CO_3^{2-}	从 0.1 到几
III	Cu^{2+} Zn^{2+} Ni^{2+}	HS^- BO_2^- NO_2^- Br^- I^- HPO_4^{2-} $H_2PO_4^-$	小于 0.1

(1)钙离子(Ca^{2+}):对于含盐量少的地下水,钙离子的含量常在阳离子中占第一位。其来源主要是由地层中的石灰岩($CaCO_3$)

和石膏($CaSO_4 \cdot 2H_2O$)溶解而来的。$CaCO_3$ 在水中的溶解度虽小，但当水中含 CO_2 时，$CaCO_3$ 则转化成为溶解度较大的 $Ca(HCO_3)_2$（重碳酸钙），使 Ca^{2+} 含量增多。

(2)镁离子(Mg^{2+})：地下水中的镁离子主要是由含 CO_2 的水溶解了地层中的白云质灰岩($MgCO_3 \cdot CaCO_3$)所致。

(3)重碳酸根(HCO_3^-)：水中的 HCO_3^- 主要是由水中溶解的 CO_2 和碳酸盐反应后产生的，是地下水中最主要也是含量最高的阴离子之一。

(4)氯离子(Cl^-)：地下水中普遍含有氯离子，这是由于地下水流动时溶解了地层中的氯化物而生成的。一般的氯化物溶解度都很大，随地下水或河流带入海洋并逐渐积累起来，使海水中氯离子含量特别高。通常海水中氯离子含量可达 18 000mg/L，内陆地下的淡水中含量一般在 10 到数百毫克/升。

(5)硫酸根(SO_4^{2-})：地下水中都含有 SO_4^{2-}，主要来自矿物盐的溶解（如 $CaSO_4 \cdot 2H_2O$ 的溶解）以及有机物的分解。

(6)钾离子(K^+)和钠离子(Na^+)：地下水中的钾钠离子统称碱金属离子，它们的盐类都很容易溶于水，故地下水中的碱金属主要是由岩石和土壤中这些盐类的溶解所带来的。

(7)铁(Fe)和锰(Mn)：铁化合物是常见的矿物，所以地下水中铁也是常见的杂质。地表水或浅层水中由于溶解氧充足，铁主要以 Fe^{3+} 形态存在，可以成为氢氧化铁沉淀物或者胶体微粒。深层地下水中的铁由于不接触空气而以 Fe^{2+} 形态存在，它主要来源于土壤中的 Fe^{3+} 化合物在缺氧的条件下，经生物化学作用而转化为可溶解的 Fe^{2+} 以后进入地下水中的。一般情况下，地表水中的含铁量较小，而在某些地区的地下水中含量可高达几十毫克/升。

含铁的地下水本是透明的，但这种水与空气接触后，Fe^{2+} 容易被空气中的氧氧化成 Fe^{3+}，然后生成氢氧化铁沉淀或胶体等，使水呈黄褐色浑浊状态。一般含铁量超过 1mg/L 时就会出现这种现象。

锰的特性与铁相近，它在水中含量比铁小得多。其氧化反应比铁要困难且进行缓慢。

(8)硝酸根(NO_3^-)：地下水中的 NO_3^- 主要来自它的盐类的溶解，但多数情况下是有机物分解带入的。

(二)各种可溶性气体

(1)二氧化碳(CO_2)：多数的地下水中都溶解有 CO_2 气体，特别是地热矿泉水中含量更高。它主要来源于水体或土壤中有机物在进行生物氧化时的分解及地质化学过程。

(2)氧(O_2)：浅层地下水和地表水中氧的含量较高，而地下深层水中的氧含量极低。它的主要来源是空气中的氧，其次水生植物的光合作用也可产生大量的氧。当地下水遭受有机物污染严重时，水中的溶解氧几乎接近零。此时有机物在缺氧的条件下就出现腐败发酵现象，使水质恶化。

(3)硫化氢(H_2S)：地表水中一般很少含有硫化氢，地下水中由于特殊的地质环境，有时会含有大量的硫化氢。如鹤壁新区(1 000～3 200m)等许多超深层地热井中含有大量的硫化氢。

当水体遭受污染，如煤气发生站、硫化染料厂等含有大量硫化氢的废水排入，或大量有机物排入，经过生物氧化还原作用也会产生过量的硫化氢。含有硫化氢的地下水会散发出臭鸡蛋气味，含量达 0.5mg/L 时已可察觉，达 1mg/L 时就有明显的臭味，这样的地下水对金属和混凝土都会产生腐蚀和破坏作用。

第三节　土壤的腐蚀环境

地热(中深)井均处于地面以下的土壤或岩石中，为此，我们把这类的工程称为地下隐蔽工程。其管材除了和地下水接触之外，还与土壤(岩石)直接接触。所以,研究土壤(岩石)对金属的腐蚀规律,以寻求必要的防护措施,对延长水井的使用寿命具有十分重要的意义。

一、土壤的腐蚀特征

土壤的成分、结构复杂,不同的区域其组分不尽相同,它也是腐蚀的一个主要环境。其具体特征如下:

(1)土壤的多相性。土壤由土粒、矿物质、水、空气等组成,具有复杂的多相结构。它有各种不同的形状(粒状、块状和片状)。不同的地区其组分不同,并且在 200m 以内的浅层极易被大气和地表污染物污染。

(2)土壤的不均匀性。土壤的性质和结构具有极大的不均匀性。宏观上看,有不同性质的土壤(岩石)交替更换。微观上看,有各种微结构组成的土粒、气孔、水分的存在以及结构的密实程度的差异。因此,土壤与腐蚀有关的电化学性质,也随之发生变化。

(3)土壤是毛细管多孔的胶体体系。在土壤中,土或矿物质间存在大量毛细管微孔,孔隙中充满空气和水。水在土壤中以多种形式存在,它可以直接渗浸孔隙或在孔壁上形成水膜,也可形成水化物或以胶体形成水的状态存在。土壤为离子导体正是水的存在所致,因此可把土壤看做腐蚀性电解质。

(4)土壤的相对固定性。土壤的固体部分对于埋设在土壤中的金属井管来说,可以认为是相对固定的。而土壤(岩石)中的水和空气是相对流动的。

以上所述土壤腐蚀环境的特点,使土壤腐蚀和其他电化学腐蚀过程具有不同的特征,这就是氧的传递。氧在溶液中是通过溶液本身输送,在大气腐蚀时通过电解液薄膜传递,而在土壤腐蚀时则通过土壤的孔隙输送。所以,土壤中氧的传递速度,取决于土壤结构和湿度。在不同的土壤中,氧的渗透率会有很大差别,幅度可达 3~5 个数量级。土壤腐蚀时氧浓差电池将起很大作用。

二、土壤中的腐蚀电池

(一)宏电池

土壤(岩石)腐蚀和其他介质中的电化学腐蚀过程一样,是因为金属和介质的电化学不均一性所致,又因土壤介质具有多相性的特点,所以除了有可能生成和多相组织的不均一性有关的腐蚀微电池外,还会因土壤介质的宏观不均一性形成腐蚀宏电池,后者往往起更大的作用。

土壤介质的不均一性主要是土壤透气性不同所致。在不同的透气性条件下,氧的渗透速率变化幅度很大,直接影响着和土壤相接触的金属部分的电位,这是形成氧浓差腐蚀电池的基本因素。此外,土壤的 pH 值、含盐量等性质的变化也会形成腐蚀宏电池。

在土壤(岩石)介质中形成的腐蚀宏电池有以下几种类型:

(1)地下金属井管穿越不同土壤形成的宏电池。河南省目前一般的地热(中深)井垂直深度在 300~1 200m,所接触的地层主要有杂填土、第四系、第三系、三叠系、二叠系、石炭系等。因土壤的组成、结构不同而形成腐蚀电池。若因氧的渗透性不同而造成氧浓差电池,那么埋在密实、潮湿地方的管线就作为阳极而遭受腐蚀。若土壤中含有硫化物、有机酸或工业污水,因土壤性质的变化,也能形成宏观腐蚀电池。深距离腐蚀宏电池能产生相当可观的腐蚀电流。显然,土壤的电导率越高,腐蚀电流值也越大。

(2)两种不同金属与土壤接触产生的宏电池。只要地下金属井管材质存在差异(金属成分不一),就可产生腐蚀电流。在河南省的地热(中深)井中主要由于以下几方面原因导致宏电池:①金属井管焊接时,其井管和焊缝成分不同,两者的电位差有的可达 0.275V;②镀锌桥式滤水管和普通钢管混合使用;③铸铁管和普通钢管混合使用;④不同厂家井管的混合使用。

上述情况下腐蚀电池的工作原理可用下面的电极反应来说明。

电极反应:阳极 $Fe - 2e \longrightarrow Fe^{2+}$

阴极 $O_2 + 4e + 2H_2O \longrightarrow 4OH^-$

阳极区溶解到土壤中的二价铁离子与阴极区迁移过来的氢氧根离子反应生成氢氧化亚铁:

$$Fe^{2+} + 2OH^- \longrightarrow Fe(OH)_2 \downarrow$$

总反应:$2Fe + O_2 + 2H_2O \longrightarrow 2Fe(OH)_2 \downarrow$

腐蚀产物 Fe^{2+} 是不稳定的,它能和阳极区的氧继续作用,被氧化成三价铁离子,即生成氢氧化铁沉淀:

$$2Fe(OH)_2 + \frac{1}{2}O_2 + H_2O \longrightarrow 2Fe(OH)_3 \downarrow$$

由于 $Fe(OH)_2$ 和 $Fe(OH)_3$ 与土黏结在一起,使阳极区金属表面受到遮蔽,有利于降低腐蚀速度。

(二)微电池

以微小电极所组成的腐蚀电池称微电池。形成微电池的原因有以下几种:

(1)金属化学组分不均匀。所有的金属管材均不同程度地含有杂质,如碳钢中的 Fe_3C、C、P、S 等。杂质的电极电位高,因此就构成许多阴极,与土壤接触后形成若干个短路的微电池。

(2)金属井管的物理状态不均匀。金属由于变形和应力变化而产生的腐蚀,如井斜时井管产生的弯应力、井管焊接部位的焊接应力等。应力大的部位是阳极,易遭受腐蚀。

(3)金属井管表面膜不完整。金属井管表面膜有孔隙,孔隙下的金属表面电位较低,是阳极。

(4)土壤结构的差异。这种情况的腐蚀原理类似同一种金属放在不同的电解质溶液中而形成的微电池。

综上所述,对于地下金属井管,两种腐蚀电池的作用是同时存在的。由腐蚀的表面形式看,微电池作用时具有腐蚀坑点分布均匀的特征,而宏电池引起的腐蚀则具有明显的局部穿孔特征。所以在实际中,宏电池的存在其危害更大。

三、土壤腐蚀的影响因素

对于地热井金属井管发生的腐蚀原因主要由于土壤的性质和土壤中细菌作用而引起的腐蚀。与腐蚀有关的土壤性质主要有孔隙度、含水量、电阻率、酸度及含盐量,这些影响因素又是相互联系的。

(1)孔隙度的影响。较大的孔隙度有利于氧渗透和水分的保存,而它们都是腐蚀发生的促进因素。透气性好的地层会加速腐蚀过程,但在透气性良好的土壤中也容易生成具有保护能力的腐蚀产物层,阻碍金属的阳极溶解,使腐蚀速度减慢。

(2)含水量的影响。土壤中含水量对金属井管的腐蚀影响很大。土壤中的水分对于金属溶解的离子化过程及土壤电解质的离子化都是必要的。除了参与腐蚀的基本过程外,水分子对于涉及土壤腐蚀的其他因素几乎都有影响。

图3-9表示土壤含水量和钢管腐蚀速度的关系。从图中可以看出,当土壤含水量很高时,氧的扩散渗透受到阻碍,腐蚀减轻。这是由于土壤湿度达到一定值时,土壤中的可溶盐已全部溶解,随着含水量的增加,不再有新的盐分溶解。随着含水量的减少,氧的去极化变得更为容易,腐蚀速度将增加,当湿度降到10%以下时,由于水分的短缺,阳极化和土壤电阻均加大,腐蚀速度又急剧降低。

(3)土壤中杂散电场的影响。在城市或工业区,土壤中杂散电场主要是交变电磁场,频率为50Hz的工业交流电,低频成分比高频成分强度大。其中,10Hz场强约为50Hz的2%,30Hz场强约为50Hz的10%,100Hz场强约为50Hz的8%,250Hz场强约为50Hz的1%。杂散电场场强在工业区和城市区附近较大,边缘地区逐渐减弱。其电压分布一般在2~200mV/m,在地层内垂向分布,主要集中于100m深度范围内,100m以下很少能检测到。地

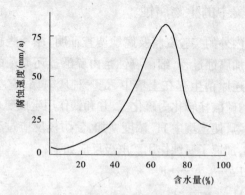

图 3-9 土壤含水量与钢管腐蚀速度关系

层中的杂散电流产生的电场振荡可以破坏金属井管与土壤接触形成的电化学平衡状态,一定程度上加速了金属井管的腐蚀。

(4)含盐量的影响。一般土壤中含盐量为 0.008 8% ~ 0.15%,在土壤电解质中的阳离子一般是钾、钠、钙、镁等离子,阴离子是碳酸根、氯和硫酸根离子。土壤中含盐量越大,土壤的电导率就越大,因而提高了土壤的腐蚀性,氯离子对土壤腐蚀有促进作用。但碱土金属钙、镁离子在非酸性土壤中能形成难溶的氧化物和碳酸盐,在金属表面形成保护层,能减缓腐蚀。

(5)电阻率的影响。土壤电阻率与土壤孔隙度、含水量、含盐量等许多因素有关。一般来说,随着含盐量、含水量的增大,土壤电阻率变小,其腐蚀性也越强。表 3-2 是常见地层的电阻率。

表 3-2　常见地层的电阻率　　　(单位:Ω·m)

地层情况	静水位以上电阻率	静水位以下电阻率
黏土	3~10	3~10
粉土	30~100	10~15
细砂	20~50	15~25
中砂		25~35
砂卵石		35~100

四、土壤中的生物腐蚀

根据国内外的实验资料及腐蚀调查证明,在一些缺氧的土壤中有细菌参加腐蚀过程,细菌腐蚀是由硫酸盐还原菌的作用引起的。硫酸盐还原菌生存在土壤中,是一种厌氧菌,它参加电极反应,将可溶的硫酸盐转化为硫化氢,并和铁作用生成硫化亚铁。由于生成硫化氢,使土壤中 H^+ 浓度增加,使阴极反应过程氢的去极化作用加强,加速了腐蚀作用。电极反应如下:

阳极 $Fe - 2e \longrightarrow Fe^{2+}$

阴极 $H^+ + e \longrightarrow H$

细菌参加的阴极反应:

$8H + CaSO_4 \longrightarrow H_2S + 2H_2O + Ca(OH)_2 \downarrow$

$H_2S \rightleftharpoons H^+ + HS^-$

腐蚀产物: $Fe^{2+} + HS^- \longrightarrow FeS + H^+$

$\qquad Fe^{2+} + 2OH^- \longrightarrow Fe(OH)_2 \downarrow$

总反应: $4Fe + CaSO_4 + 4H_2O = FeS + Ca(OH)_2 \downarrow +$

$\qquad\qquad\qquad 3Fe(OH)_2 \downarrow$

这种细菌肉眼是看不见的,生长在潮湿并含有硫酸盐及可转化的有机物的缺氧土壤中。当土壤 pH 值在 5~9、温度在 25~30℃时最有利于细菌的生长繁殖。

第四节 大气的腐蚀环境

金属材料在大气自然环境条件下,由于大气中的水、氧、二氧化碳等物质的作用而引起的腐蚀,称为大气腐蚀。地下水位以上或静水位动水位之间连续和断续暴露在空气中的金属井管表面普遍存在着锈黄色或"锈瘤"。大气腐蚀也是常见的一种腐蚀,特别是空气与水面接触处腐蚀最为严重。所以,研究和了解大气腐蚀现象和规律具有一定的必要性和意义。

一、大气的组分

地球表面上自然状态的空气称为大气。虽然大气组分复杂,但是大气的主要成分实际上是不变的(见表 3-3),只是水蒸气含量随着地域、时间、温度等条件的不同而不同。

表 3-3 大气的基本组分

组分	含量(g/m^3)	重量(%)	组分	含量(mg/m^3)	重量(%)
空气	1 172	100	氖(Ne)	14	12×10^{-4}
氮(N_2)	897	75	氪(Kr)	4	3×10^{-4}
氧(O_2)	269	23	氦(He)	0.8	0.7×10^{-4}
氩(Ar)	15	1.26	氙(Xe)	0.5	0.4×10^{-4}
水蒸气(H_2O)	8	0.70	氢(H_2)	0.05	0.04×10^{-4}
二氧化碳(CO_2)	0.5	0.04			

在大气中,普遍存在的腐蚀成分是氧、水蒸气、二氧化碳。氧的含量基本是恒定的,而且是大量的。氧能直接和金属作用使金属氧化,但在常温常压下金属的氧化过程极为缓慢,氧此时主要是参与电化学腐蚀过程。大气中的氧易溶于金属表面的薄液层中,作为阴极去极化剂而起作用。

金属表面的液层,主要由大气中的水蒸气所形成。水蒸气的含量随不同地区、不同温度而变化,并且在金属表面上以水膜形式出现。水膜的生成对金属在大气中的腐蚀起着决定性作用,其腐蚀速度通常随湿度增加而增加。若在金属表面形成水膜成分是纯净的水,则腐蚀速度是很缓慢的。而实际中大气腐蚀速度比较大,这是因为大气中还含有许多杂质,如表 3-4 所示。这些杂质成分溶解在金属表面的水膜中，构成了具有一定腐蚀性的电解质溶液。

表 3-4 大气中主要杂质组分

项目	成 分
固体	灰尘、砂粒、$CaCO_3$、ZnO、NaCl、氧化粉
气体	SO_2、SO_3、H_2S、NO、NO_2、NH_3、HNO_3、CO、CO_2、有机物等

二、大气腐蚀的分类

大气腐蚀速度随着腐蚀条件的变化而变化。金属表面的潮湿程度通常是决定大气腐蚀速度的主要因素。所以，按照金属表面的潮湿程度，也就是按照金属表面电解质液膜的存在和状态的不同，可以把大气腐蚀分为以下三种类型。

(一)干的大气腐蚀

在这种情况下，大气中基本没有水蒸气，是金属表面上完全没有水膜层时的大气腐蚀。在清洁的大气中，所有普通的金属在室温下都可产生不可见的氧化物薄膜。一般情况下，若大气的湿度没有超过临界湿度的话(钢铁的临界湿度为65%)，金属表面将保持光泽。

(二)潮的大气腐蚀

金属在肉眼看不到的薄液膜层下所发生的腐蚀，称为潮的大气腐蚀。这类大气腐蚀需要有水蒸气存在，它的湿度必须超过临界湿度，在相对湿度低于100%时，金属表面有很薄的一层水膜存在。裸露在空气中的地下井管多属于此类型的腐蚀。

(三)湿的大气腐蚀

当空气中的相对湿度为100%左右，或当雨水、井内井管破裂等直接与水接触时产生的腐蚀则称为湿的大气腐蚀。在这种情况下，水在金属表面上已成液滴凝聚，金属表面上存在肉眼看得见的水膜。

上述三种类型的大气腐蚀,它们的腐蚀机理和速度是各不相同的,其关系可定性的用图 3-10 中的曲线表示。

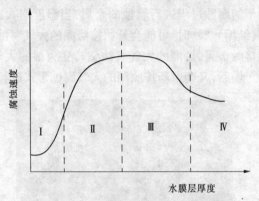

图 3-10　大气腐蚀与水膜厚度关系

图 3-10 中,Ⅰ区是大气湿度特别低的情况,金属表面的吸附水膜特别薄,还不能看做是完整的和具有电解液的性能,此时 金属腐蚀速度很低,属化学腐蚀中常温氧化情况,相当于干大气腐蚀。Ⅱ区金属表面形成了连续的薄膜层,具有电解液的特点,腐蚀过程基本上与电解质中电化学相同,腐蚀速度随液膜厚度的增加而急剧增加,这相当于潮的大气腐蚀。区域Ⅲ、Ⅳ为湿的大气腐蚀,由于水膜厚度的增加,氧通过液膜变得困难,腐蚀速度也相应降低。进入Ⅳ区时由于氧通过液膜有效扩散层的厚度基本上不随液膜厚度的增加而增加,腐蚀速度基本不变,这相当于金属全部沉浸在电解液中的腐蚀情况。图 3-11 为同一金属材料井管试片在空气中和水—空气界面处 60 天时的腐蚀情况。从图 3-11 中可以明显看出,金属井管在干燥空气中的腐蚀较慢,而在潮湿的环境中腐蚀与结垢速度较快。实际中,所有的水井在静水位和动水位之间或附近,其井管腐蚀破裂、结垢最为严重。在实际的环境中,金属在大气中的腐蚀,用这三种形式的大气腐蚀完全区分清楚是相

当困难的。它既可以从一种形式的腐蚀过渡到另一种形式,又存在着一种腐蚀形式与另一种腐蚀形式的相互转换。例如,在大气中最初以干的腐蚀过程进行腐蚀的金属,当湿度增大或生成吸水性的腐蚀(结垢)产物时,可能会开始按照潮的大气腐蚀过程进行。当水直接接触金属时,潮的大气腐蚀又转变为湿的大气腐蚀。当表面逐渐干燥后,又会重新按照潮的大气腐蚀形式进行腐蚀。

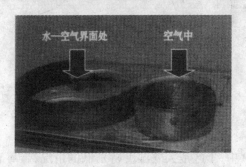

图 3-11　金属在不同环境下腐蚀情况

三、大气腐蚀原理

大气腐蚀是金属处于表面薄层电解液下的腐蚀过程,因而具有与浸没在电解液内的腐蚀过程不同的特点。金属表面含饱和氧的电解液膜的存在,使大气腐蚀的电化学过程中氧去极化过程变得容易进行。

在薄膜层下,腐蚀微电池的电阻显著增大,微电池作用变小。阳极区反应产物的金属离子和阴极区生成的离子,将在金属表面紧密连接的电解液薄层中相互作用,生成不溶性腐蚀产物,并附着于金属表面,成为具有一定保护性能的腐蚀产物层。因此,大气腐蚀的腐蚀形态均匀一致。

在大气腐蚀条件下,腐蚀产物的成分和结构往往很复杂。在一定条件下,腐蚀产物还会影响大气腐蚀的电极反应。伊文思认

为,钢和铁的锈层处在湿润的条件下,当氧的通路被限制时,它可作为氧化剂,即发生阴极去极化反应:

$$4Fe_2O_3 + Fe^{2+} + 2e \longrightarrow 3Fe_3O_4$$

当锈层干燥时是透氧的,具有磁性的黑色的 Fe_3O_4 又被渗入锈层的氧重新氧化变成 Fe_2O_3,即

$$3Fe_3O_4 + \frac{3}{4}O_2 \longrightarrow 4\frac{1}{2}Fe_2O_3$$

由此可见,在干湿交替的情况下,带有锈层的钢能加速腐蚀的进行。一般来说,在大气中长期暴露的金属腐蚀速度会逐渐减慢的。其根本原因一方面是锈层的逐渐变厚会导致锈层电阻的增加和氧渗入的困难;另一方面是锈层的内层附着性好,将减少活性的阳极面积,增加了阳极极化,最终使腐蚀速度减慢。

四、大气腐蚀的影响因素

大气腐蚀的程度取决于气候条件(湿度、温度、温差等)和大气中污染物(SO_2、盐粒和灰尘等)含量。腐蚀程度最大的是潮湿的受污染严重的工业大气,腐蚀程度最小的是干燥洁净的农村大气。

(一)气候条件

(1)湿度。湿度是决定大气腐蚀类型和速度的基本因素。各种金属都有一个腐蚀速度开始急剧增加的湿度范围,铁、锌、铜、镍等金属的临界湿度值为 50%～70%。在该湿度下,金属表面已形成完整的液膜,使电化学腐蚀过程得以顺利进行。一般来说,湿度越大,大气的腐蚀性越强。

(2)温度及温差。在其他条件相同的情况下,平均气温高的地区比气温低的地区大气腐蚀程度严重。温差的剧烈变化也有影响,因昼夜温差变化而导致的结露现象,也有加速腐蚀的作用。

(二)大气中的污染物

因自然界的变化和工业气体的排放,大气中常含有一些杂质,

也称大气污染物。其主要污染物有 SO_2、SO_3、H_2S、NH_3、氯化物、粉尘等,对于金属井管来说主要是 SO_2 的影响。大气中 SO_2 来源有两个,一是硫化氢产物在空气中的氧化;二是含硫燃料的燃烧,在工业城市中这个因素是主要的。在大气污染物中,SO_2 的影响最为严重。以石油、天然气、煤为燃料的废气中含有大量的 SO_2,SO_2 污染的大气中,铁、锌等金属则生成易溶的硫酸盐化合物,进一步氧化并由于强烈的水解作用生成硫酸,与铁起反应,整个过程具有自催化反应的特点,反应式为

$$Fe + SO_2 + O_2 \rightleftharpoons FeSO_4$$

$$4FeSO_4 + O_2 + 6H_2O \rightleftharpoons 4FeOOH + 4H_2SO_4$$

$$2H_2SO_4 + 2Fe + O_2 \rightleftharpoons 2\ FeSO_4 + 2H_2O$$

其腐蚀速度随大气中 SO_2 含量的增加而直线上升。

第五节　金属井管的腐蚀试验

通过前面章节的研究和分析,我们可以很清楚地认识到,影响地下金属井管腐蚀的因素很多,并且是一个复杂的腐蚀过程。由于特殊环境(金属材料自身因素、大气、土壤、地下水、温度、压力等)的综合影响,实际中的地下金属井管将受到联合腐蚀的作用(多种类型的腐蚀)。为了能够直观地了解金属井管腐蚀情况,我们选择了实验室和野外检测(SJ－2 型井下彩色电视检查系统)等手段进行研究和分析。

一、金属井管腐蚀模拟试验

由于河南省的地热(中深)井使用的成井管材主要是普通无缝钢管(20 号碳素结构钢)和球墨铸铁管,过滤器为 Q235A3 钢板冲压卷焊桥式镀锌滤水管。地热或普通供水在正常使用 2～3 年后,

都普遍出现井管破裂、水量减小、出浑水(砂)、水温下降、水质污染等现象。多年的研究证明,这些现象的出现主要是由于金属井管的腐蚀与结垢问题造成的。所以,进行地热(中深)井金属井管腐蚀与结垢试验研究具有一定的意义。

(一)试验条件与环境

整个研究工作是室内金属挂片模拟试验和野外井下彩色电视检测和取样分析相结合,同时选择两种不同金属材料(普通钢和球墨铸铁管)在室温和50℃水环境下进行的室内试验。

(二)金属试片成分和规格

金属试片均在实际使用的井管中选取并通过刨、铣、钻、磨加工成规定的粗糙度和尺寸,并经处理、称重后放置在容器内。如图3-12所示,试片规格为25mm×50mm×2mm(总面积28cm²),试验井管材质见表3-5。

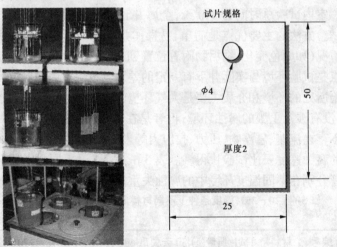

试片规格

$\phi4$

50

厚度2

25

图3-12　井管挂片腐蚀试验　(单位:mm)

(三)试验水质

试验用水全部选用郑州市公安局收容所院内1 200m地热矿

泉水,其水质情况是:总硬度(CaCO$_3$ 计)25mg/L,pH＝8.05,矿化度 944.66mg/L,Cl$^-$ 30.846mg/L,SO$_4^{2-}$ 66.766mg/L,HCO$_3^-$ 浓度 558.946mg/L,溶解氧 DO 6.3mg/ml,化学需氧量 COD 13.87 mg/ml,Cr 0.015mg/ml,P 0.04 mg/ml,细菌总数小于 100 个,BOD$_5$1.4 mg/L,氨氮≤0.02mg/ml。

表 3-5　试验金属井管材料情况及主要成分

材质	化学成分(%)				
	C	Si	Mn	P	S
Φ273 无缝钢管(20 号钢)	20	20	54	1.2	1.8
Φ159 无缝钢管(20 号钢)	19	26	45	1.8	1.1
桥式滤水管(Q235A3)	17	20	46	13	5
铁素体基体的球墨铸铁	3.4～3.8	2.4～2.8	≤0.5	≤0.08	≤0.02

(四)试验情况及试验结果分析

　　室内试验总时间为 240 天,金属井管挂片试验为 120 天。该种试验方法的主要优点是简单、易操作并且随时可以直接观察腐蚀情况(如颜色变化、结垢物附着位置、形态、腐蚀分布情况等);其缺点是试验环境与实际井下有一定的差别。本次室内的腐蚀模拟试验所处的环境和介质主要是大气环境(溶解氧浓度较高)和水环境,没有涉及土壤的腐蚀环境;再者是在静止状态下进行的试验,故不存在流速、悬浮物、压力、拉应力等影响。实际中,地下金属井管的腐蚀速度要比试验快得多。表 3-6、表 3-7 是不同材料的金属井管分别在不同温度环境中的腐蚀失重情况。

表 3-6　20～25℃温度条件下不同材料金属井管腐蚀失重情况

(单位:mg)

试片编号	材料	试片质量(g)	30 天失重	60 天失重	90 天失重	120 天失重
1	无缝钢管	18.037	0.62	1.36	3.22	5.31
2	球墨铸铁管	17.264	0.95	0.85	1.86	1.395

表 3-7　50℃温度条件下不同材料金属井管腐蚀失重情况

(单位:mg)

试片编号	材料	试片质量(g)	30 天失重	60 天失重	90 天失重	120 天失重
1	无缝钢管	18.037	0.63	0.7	1.38	1.15
2	球墨铸铁管	16.45	1.17	0.67	1.874	4.271

1. 腐蚀速度计算

$$v = 87.6\Delta W/(S \cdot \rho \cdot t) \qquad (3-4)$$

式中　v——腐蚀速度,mm/a;

　　　ΔW——试片的失重,mg;

　　　S——试片的总表面积,cm^2;

　　　ρ——金属的密度,g/cm^3,碳钢 7.85;

　　　t——试验时间,h。

把表 3-6、表 3-7 试验数据代入上述公式得出以下结果:

20~25℃水温条件下无缝钢管和球墨铸铁管的平均腐蚀速度分别是:5.121×10^{-4}mm/a、3.244×10^{-4}mm/a。

50℃水温条件下无缝钢管和球墨铸铁管的平均腐蚀速度分别是:2.390×10^{-4}mm/a、4.425×10^{-4}mm/a。

从计算结果可以看出,20 号钢的无缝管在常温情况下,其腐蚀速度是 50℃水温条件下的 2.143 倍。而球墨铸铁管在较高温度下,其腐蚀速度比低温条件下要快。

众所周知,氧直接在阳极处攻击金属而引起腐蚀。一般情况下,所有地下水中都不同程度地存在着溶解氧,在腐蚀学上称为浓差电池腐蚀。氧的腐蚀速度受浓度、温度、pH 值等因素的制约。氧在水中的溶解度随溶液温度的升高和矿化度的增加而下降,所以在一定温度范围内金属井管腐蚀速度随温度升高而升高,继而随氧消耗而下降。由此可以看出,金属井管腐蚀是受多方面因素的影响,并且腐蚀过程和机理也相对复杂。

　　2. 不同金属材料的腐蚀试验

　　河南省的地热(中深)井使用的管材主要是无缝钢管和镀锌桥式滤水管。如图 3-13 和图 3-14 为无缝钢管和镀锌桥式滤水管试片在水介质中的模拟腐蚀试验,分别为 30 天和 120 天时的腐蚀试验情况。

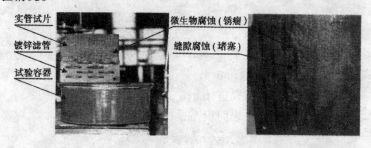

图 3-13　30 天腐蚀试验情况　　**图 3-14　120 天结垢物堵塞情况**

　　从图 3-13 中可以看出,当两种不同材料在同一的水介质中,首先在普通钢管表面形成一层约 1mm 的腐蚀产物,而镀锌桥式滤水管表面几乎未遭受腐蚀。但是,当试验时间达到 120 天时普通钢管的腐蚀速度相对减缓,而镀锌桥式滤水管腐蚀速度相对加快,并产生大量的结垢物(锈瘤)堵塞其缝隙,如图 3-14 所示。

　　实际中,在普通钢管井内,许多单位认为不锈钢水泵使用寿命长,故在抽水设备选择上选用进口的不锈钢水泵,其价格不仅昂贵,而且对整个水井系统存在着较大的危害,并且水泵电机使用寿命极短。如黄委会 600m 水井、郑州市烟草局 600m 水井和河南省电视台家属区 800m 水井,均采用不锈钢水泵作为抽水设备,结果在使用不到 3 个月均相继出现水泵电机烧毁问题,其中电机表面都被 2~3mm 厚的黑色"黏泥"(带方向性)包裹。这些现象和问题实际上都是由于不同的电极电位材料在同一水介质中存在较强电子流动和腐蚀的结果。

这种现象在腐蚀学上称为电偶腐蚀,又称双金属腐蚀或接触腐蚀。当两种不同金属在同一介质水中时,两种金属之间通常存在着电位差,从而驱使电子流动,形成一个或多个腐蚀电池。普通钢管与镀锌滤水管(或铸铁管)在同一井内时,则很容易发生电偶腐蚀,并且腐蚀与结垢速度极快。

第六节　SJ－2型井下彩色电视检查系统及井管腐蚀检测实例

一、SJ－2型水井检测彩色电视系统

该系统包括井下探头、系统控制器、彩色监视器、编码记数器、专用电缆、绞车、录像机等,如图 3-15 所示。它采用了固体 CCD 摄像、微机、自动控制及大规模集成电路等技术,其操作过程是:在 220V 电源工作条件下,把自带光源的防水摄像探头通过电缆和绞车送入井下,在地面监视器上可以直观看到井下的一切情况。

3-15　SJ－2型井下检测电视系统

其主要技术指标为

探头直径:120mm   探头长度:700mm

检测深度:≤1 000m   工作电压:220V

最佳分辨力:0.1mm   工作温度:50℃

仪器由天津大学研制,其主要技术指标达到了国际先进水平。

二、系统的应用及井管腐蚀检测实例

SJ-2型水井检测系统可以直观、直接观察井内实际腐蚀、结垢和破裂情况,并可准确确定其位置、形态和腐蚀程度。需要注意的是,检测系统显示器反映的图像不是井内实体的实际大小,如果有必要定量确定实体大小时则可通过下式来计算:

$$b = Bd_2/d_1 \tag{3-5}$$

式中 b——井内实体尺寸大小,mm;

     B——系统显示器上实体尺寸大小,mm;

     d_1——系统显示器上反映井管内径,mm;

     d_2——井管实际内径,mm。

下面是几个典型的检测实例。

(一)典型的腐蚀与结垢

在井内,腐蚀与结垢同时存在,相互伴生和影响,腐蚀产生结垢物,结垢物的存在又加速井管的腐蚀。其主要腐蚀类型是缝隙腐蚀(垢下腐蚀)、生物腐蚀(铁细菌和硫酸盐还原菌)和溶解氧浓差腐蚀等。图3-16分别为一般中深井和地热井腐蚀与结垢情况。

从图3-16可以清楚地看出,由于井管的腐蚀与结垢,其滤水管部分的进水通道基本全部被堵塞,其中右图地热井805m井段腐蚀结垢更为严重。

(二)典型的应力腐蚀与井管破裂

地热井,由于其下管过程中其管材自身重量大(十几吨到几十吨重),故受到较大的拉应力,并且,在河南省多数的井管连接方式

中深井　　　　　　　　　　地热井

图 3-16　典型的井管腐蚀与结垢

为焊接,所以同时又受到焊接应力。如图 3-17 所示。

图 3-17　井管的应力腐蚀破裂图像信息

井管的应力腐蚀一般都发生在井管的焊接处,并且都在井管的上部(20～100m)。这是因为井管的连接处焊接应力最大,同时井管的上部所受到的拉应力也最大。

(三)钢管和铸铁管混合供水井腐蚀情况

不同的金属材料在同一水介质中时会产生典型的电偶腐蚀。图 3-18 是河南省黄河迎宾馆一眼 600m 中深井的腐蚀情况,0～200m 为 $\Phi325mm$ 普通的铸铁管,200～600m 为 $\Phi159mm$ 无缝钢管(20 号钢)。该井使用 3 年后,由于腐蚀严重,产生大量的腐蚀产物和结垢,滤水管严重堵塞并使水量急剧下降。从图中可以看出,224m 井段已看不清井壁,井内漂浮着大量的腐蚀产物,呈片状,井壁上同时有许多的"锈瘤"和腐蚀产物。右图井壁呈蓝色,是下泵位置。

图 3-18　不同材料的腐蚀情况

第七节　地热井腐蚀主要类型

通过试验、野外实际检测和目前河南省的工程技术现状,一般情况下,地热(中深)井腐蚀的主要类型有均匀腐蚀、电偶腐蚀、缝隙腐蚀、磨损腐蚀、应力腐蚀、溶解氧浓差腐蚀和微生物腐蚀等。这几种腐蚀同时存在,在井内起到了联合腐蚀的作用,并多以局部腐蚀和穿孔的形式出现。

一、均匀腐蚀

均匀腐蚀又称全面腐蚀或普遍腐蚀。其特点是腐蚀过程在金属的全部暴露表面上均匀地进行,在腐蚀过程中,金属逐渐变薄最后破坏。对于普通管材而言,均匀腐蚀主要发生在较低的 pH 值环境中。另外,用酸洗井、附近有化工厂或金属处理车间时,由于长期的酸渗漏或酸污染,也可产生均匀腐蚀。有些地区的土壤中,由于缺少碱金属、碱土金属而大量吸附 H^+,使 pH 值小于 5。其酸性的来源主要有:①雨水中的碳酸;②微生物和植物根部的代谢产物;③ 有机物分解过程中产生的有机酸;④硫化亚铁氧化生成的硫酸;⑤化肥的分解。

一旦土壤遭受酸性污染,吸附在黏土和腐殖质上的碱性金属离子和 H^+ 替换而引起土壤中这些金属离子的缺乏,从而使土壤呈酸性。该种类型的腐蚀一般发生在浅部井段,在 $0 \sim 150m$ 之间。

二、电偶腐蚀

电偶腐蚀又称双金属腐蚀或接触腐蚀。当两种不同金属在同一介质水中时,两种金属之间通常存在着电位差,从而驱使电子流动,形成一个或多个腐蚀电池。金属井管中含有不同的金相或杂质、普通钢管与镀锌滤水管(或铸铁管)在同一井内时,则很容易发生电偶腐蚀,并且腐蚀与结垢速度极快。图 3-19 是 20 号无缝钢管和镀锌桥式滤水管的腐蚀试验,图中分别为 60 天和 90 天时的腐蚀情况。从图中可以看出,在腐蚀的初期,20 号无缝钢管表面腐蚀较为严重,镀锌管出现了轻微腐蚀(见图 3-19(a));当试验时间达到 90 天以上时,镀锌管腐蚀严重,并出现缝隙堵塞,而无缝管则腐蚀减慢(见图 3-19(b))。

(a)   (b)

图 3-19   不同材料在同一介质中腐蚀情况

目前,河南省几乎所有的水井都是采用这种滤水管和钢管进行成井,所以该种类型的腐蚀在河南省地热(中深)井中较为普遍。

该类型的腐蚀一般发生在普通井管和镀锌桥式滤水管连接处或镀锌管缝隙处;当井内采用不锈钢抽水设备时,此类型的腐蚀在下泵位置附近。

三、缝隙腐蚀

缝隙腐蚀又称垢下腐蚀、沉积腐蚀等。在地下金属井管中,当存在缝隙或其他隐蔽区域时,常会发生强烈的局部腐蚀。这种腐蚀常和孔穴、搭接缝、表面沉积物、金属腐蚀物等缝隙内积存少量的静止水有关。产生缝隙腐蚀的沉积物有泥沙、尘埃、腐蚀产物、水垢、微生物黏泥和其他固体。沉积物的作用是屏蔽,在其下面形成缝隙,为水不流动创造条件。这种腐蚀常发生在最下部的滤水管缝隙处、井管的搭焊处和变径位置。

四、磨损腐蚀

磨损腐蚀又称冲击腐蚀、冲刷腐蚀(Erosion-corrosion)或磨蚀。磨损腐蚀是由于腐蚀性流体和金属表面间的相对运动引起的加速破坏和腐蚀,是机械性冲刷和电化学腐蚀交互作用的结果。当液流中含有固相颗粒时即构成所谓的液/固双相流冲刷腐蚀。多数地热(中深)井中都含有泥沙颗粒,当抽水时,在地下水上返时即产生磨损腐蚀。由于所有的地热(中深)井内都不同程度地含有泥沙或其他固体物,所以该类型的腐蚀也最常见。该类型腐蚀主要发生在滤水管位置,另外,水泵的下入位置和法兰式泵管处也容易引起磨损腐蚀。

冲刷腐蚀是一个很复杂的过程,影响因素众多,主要有材料、环境和流体力学三个方面。其中,流速流态对冲刷腐蚀具有十分重要的影响。在流态发生变化的部位(如突然扩充、收缩、凸台、凹槽等)会造成管材过早失效。对于水井来说,变径部位最容易产生此类型的腐蚀。

　　另外,井内颗粒性质对液/固双相冲刷也有很大影响。一般条件下,颗粒硬度越高,冲刷腐蚀越严重。颗粒浓度越大,冲刷腐蚀速度的绝对值越大,但不是直线上升,高浓度条件下颗粒间的相互影响所引起的"屏蔽效应"使其冲刷作用降低。颗粒半径越大,冲刷腐蚀速度越大。图3-20是冲刷腐蚀破坏金属表面的示意图。

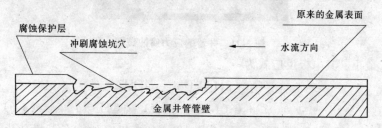

图3-20　冲刷腐蚀破坏金属表面的示意图

五、应力腐蚀

　　应力腐蚀破裂是在拉应力和特定腐蚀介质的共同作用下而引起的金属破坏。应力腐蚀的特点是:大部分表面实际未遭受破坏,只是在应力集中的部位产生局部破坏,有的是有一部分细裂纹穿透金属内部。应力腐蚀重要的变量是温度、水质成分、应力等。在井内,由于井管同时产生巨大的拉应力和焊接应力,所以多数的应力腐蚀出现在井管与井管的焊接部位,图3-21是井管在343.65m焊接处同时受焊接应力和拉应力作用下产生的应力腐蚀破裂。此种类型的腐蚀一般发生在井管的上部和井管间的焊接处。

六、溶解氧浓差腐蚀

　　金属井管在地下水中,由于上下井段内的溶解氧浓度不同,其电极电位也不同,这样就构成了浓差腐蚀电池。实际中,井内静水位和动水位之间和水泵泵头处氧的浓度较大,井的深部位置浓度

图 3-21　井管的应力腐蚀破坏

最小。其电极反应式为

$$O_2 + 2H_2O + 4e = 4OH^-$$

$$\psi = \psi^0 + 0.014\ 775\ \lg([O_2]/[OH^-]^4) \tag{3-6}$$

从上式可以看出，$[O_2]$ 愈大，相应的电极电位 ψ 的代数值也愈大，为正极；电极电位 ψ 小者为负极而遭受腐蚀。

七、微生物腐蚀

微生物腐蚀是一种电化学腐蚀，所不同的是介质中因腐蚀微生物的繁衍和新陈代谢而改变了与其相接触的材料界面的某些理化性质。微生物腐蚀所造成的经济损失是惊人的，Iverson 在 1972 年就估算美国的油井所发生腐蚀的 77% 以上是由于硫酸盐还原菌(Sulfate-reducing bacteria，简称 SRB)所引起的，1985 年估算美国因微生物腐蚀所造成的经济损失达 160 亿~170 亿美元。英国 Booth 估算，埋地金属腐蚀至少有 50% 是来自微生物腐蚀。所以，微生物腐蚀类型在地热(中深)井中也是最为常见和重要的。

自然界中影响金属腐蚀的微生物种类繁多，其生活在海水、淡水和土壤中。美国腐蚀工程学会(NACE)将影响金属腐蚀的细菌分为 4 类，不同的菌类有不同的腐蚀机理，河南省的地热(中深)井腐蚀主要为硫酸盐还原菌和铁细菌引起的腐蚀。

(一)硫酸盐还原菌引起的厌氧腐蚀

SRB 是微生物中对金属腐蚀的影响最大的细菌。目前国际上普遍公认的 SRB 腐蚀原因是其活动通过氢化酶由金属表面去氢的作用,反应式如下:

阳极反应:$4Fe \longrightarrow 4Fe^{2+} + 8e^-$

水的电离:$8H_2O \longrightarrow 8H^+ + 8OH^-$

阴极反应:$8H^+ + 8e \longrightarrow 8H$

阴极去极化:$SO_4^{2-} + 8H \longrightarrow S^{2-} + 4H_2O$

腐蚀产物:$Fe^{2+} + S^{2-} \longrightarrow FeS \downarrow (黑色)$

腐蚀产物:$3Fe^{2+} + 6OH^- \longrightarrow 3Fe(OH)_2$

总反应:$4Fe + SO_4^{2-} + 4H_2O \longrightarrow 3Fe(OH)_2 + FeS + 8OH^-$

这种理论被认为是经典的去极化理论,由 SRB 活动产生的硫化氢、硫化亚铁和细菌氢化酶保证了阴极反应所需要的氢,也决定了阴极去极化及金属腐蚀的速度。由于硫化氢在金属表面沉积相对地增加阴极涵盖面积,有利于氢的还原,也加速了金属的局部腐蚀。

地下水中金属井管微生物腐蚀的形态可以是严重的均匀腐蚀,也可以是缝隙腐蚀和应力腐蚀,从现象上来看主要为点蚀。

(二)好氧腐蚀

好氧腐蚀为铁氧化菌、硫化菌和铁细菌等,通过硫细菌产生硫酸而发生的腐蚀。硫酸通过各种无机硫化物的氧化而产生。这些细菌在硫酸浓度为 10% ～12% 时尚能存活,这些条件下铁和低碳钢可遭受严重腐蚀。

另一种原因是在好氧条件下,金属表面细菌繁衍而形成一个高低不平不规则的生物膜(微生物黏泥、固体颗粒、腐蚀产物及微生物代谢产物所组成)并逐渐长大结瘤。由于微生物的活动使生物膜内的环境发生了变化,如氧浓度、pH 值、酸碱度等,使金属表面形成阴极区和阳极区,导致点蚀和局部腐蚀。

铁细菌是好氧菌,它包括嘉氏铁杆菌(Gallionella)、球衣细菌(Sphaerotilus)、鞘铁细菌(Siderocapsa)和泉发菌(Crenothrix)。其中的一些细菌可以将二价铁氧化成三价铁,使之以鞘的形式沉淀下来,同时还产生大量的黏液,构成"锈瘤"阻碍氧的扩散,"锈瘤"下面的金属表面常处于缺氧状态,从而构成氧浓差电池引起金属的腐蚀。

第四章　地热井处理工程及相关产品研制

第一节　地热井处理工程研究对象

美国、日本、德国等发达国家,在大力研究地下水资源,开发新设备、新仪器的同时,重视旧井修复和维护方面的工作,并有专门的修井公司。我国在现代水井工程学科领域,注重了其钻进工艺和方法的研究和应用。如气举反循环成井工艺、泵吸反循环成井工艺、潜孔锤钻进工艺等,这些新工艺均对现代水井工程技术起到了重大的推进作用。但是,在旧井处理工程技术研究与开发方面,国内还没有引起足够的注意和重视,更没有把它作为一门专业学科去研究和发展。虽然有一部分单位或个人也在从事一些简单的旧井处理,但均未形成规模和气候;另外其处理手段和方法单一,不能从根本上解决问题,并且存在着很大的盲目性和风险性,从而使修复率较低,甚至造成问题复杂化或水井报废。

旧井处理工程研究的对象是地热矿泉井、在使用过程中出现问题而不能正常使用的管井。所解决的问题是涌砂、水量减少、井内落物、地下水污染、水温下降、金属井管腐蚀等。所涉及的基础理论主要有地层压力平衡理论、弹性力学与材料强度理论、爆破机理与计算、环境科学、腐蚀学、机械设计与制造、材料力学等。

由此可见,旧井处理工程是一门综合性的新兴学科,它是一个多学科交叉的领域。

第二节　地热井处理工程研究意义

随着地下水资源日趋贫乏和环境条件的限制,在目前现代水井工程技术状况下,结合国内实际情况,进行旧井处理工程技术的研究和开发,并且使之科学化和规范化,既能使众多的旧井或报废井起死回生、重新利用,又为地方经济建设作出贡献,而且自身还能取得较好的经济效益和社会效益,具有重要的现实意义和实用价值。具体表现在以下几个方面。

一、拓宽了服务领域

在目前地质市场(特别是水井工程)竞争激烈的情况下,行业之间内部压价问题、有些地方政府限制或严禁开采地下水等,都给地勘行业造成压力和不利。而旧井处理工程技术含量高,没有形成激烈竞争局面。所以,利用我们的技术和人才优势去开辟新的服务领域、多渠道吸收社会资金,不仅仅只是单一方面的技术服务和施工,通过这一技术的开发应用,还能带动相关的机械制造、新型滤水管开发、仪器与设备研制等产业。

二、具有广阔的市场前景

所有水井都有一定的使用寿命,再加之种种原因,如金属井管腐蚀穿孔、破裂、涌砂、水量减少、井内落物等,都有可能使水井在2～5年内不能正常使用。所以,这就给旧井处理工程提供了广阔的市场。

三、节约重建工程费用

建造一眼 300～1 500m 的水井或地热井,其费用一般在16 万～150 万元,再加之配套费、资源管理费、补偿费等,使之高达几十万元或百余万元。然而处理一眼井费用在3万~15万元,仅占建造费的1/5~1/10,从而可节约其工程的重建费用。

四、完善和发展了现代水井工程技术

旧井处理工程应属现代水井工程技术范畴。现代水井工程技术的研究和开发,势必将目前水井工程的工艺和使用过程中存在的突出问题反馈回来,从而对未来水井工程的设计、工艺、材料选择、结构等方面的改进和完善起到一定的积极作用。

第三节 新型高强度贴砾滤水管研制

贴砾滤水管早在20世纪70年代就被中华人民共和国地质矿产部列为推广应用项目,但由于成本高和工艺上一些问题,再加上国内仅河北满城钻井公司一家生产,多年来其生产工艺技术没有发展提高和传统观念等问题,使许多的成井管材仍用普通的缠丝滤水管,从而影响和制约了现代水井工程技术的发展。针对国内现状和工程需要,作者与吉林大学合作于1998年研制出了一种新型高强度贴砾滤水管,在实际生产应用中取得了较好的效果。如图4-1所示。

(a)钻孔式贴砾滤水管　　　(b)桥式贴砾滤水管
图4-1　新型高强度贴砾滤水管

一、配方设计与制造工艺

配方设计和黏结剂的选择是在数百次室内试验基础上确定下来的,并在生产和使用过程中加以完善和改进。其中,黏合剂、固化剂和石英砾料为基本原材料,为了增加贴砾层的孔隙度和溶解固化剂,选择工业酒精作为溶剂。其基本配方比例是黏合剂、固化剂、砾料、乙醇分别占 9.62%、1.93%、86.8%、1.65%(室温 20℃条件下)。

制造工艺是:衬管打眼或桥式滤水管→去除油污→量取原料并搅拌→装模(20~120min)→脱模(放置 3 天)→出厂使用。

该产品制造工艺无需像国内其他厂家装模后放入烤箱(26kW),在 175℃工作温度下烘烤 6h 才脱模。

二、温度与配方设计的关系

温度对配方设计、固化脱模时间有着直接的关系和影响,特别是固化剂含量的控制和称取误差不得超过 +40g。温度大于 30℃时,固化剂超过基本比例 +40g 时,在装模前搅拌过程中则因膨胀和固化而报废;固化剂含量过低时则延长固化脱模时间;固化剂含量与温度合适时,仅需要 10~20min 即可脱模。所以,在生产过程中可根据不同温度和情况通过调整固化剂含量来实现脱模的时间。一般情况下,在冬季 5~9℃时增加固化剂含量 20%,10~19℃时增加 10%;在夏季 25~30℃减少固化剂含量 10%,30℃以上时减少 20%,乙醇含量也同时增减 10%~20%。

三、特点

(1)生产工艺简单、效率高、成本低,且不需设备,一次性投入 2 万~5 万元即可建厂投产。

(2)贴砾层力学性能指标高于国内其他厂家,特别是具有较高的塑性和抗冲击性能。

(3)能彻底解决水井的涌砂问题。

(4)采用贴砾滤水管成井或修井可实现安全、可靠、高效,特别是在现代水井工程中应用,可减小成井口径、简化成井工艺,能大幅度提高生产效率和质量。

(5)贴砾滤水管具有良好的抗腐蚀性能和较高的综合性能,即便是金属井管腐蚀穿孔也不会出现涌砂和出砾料现象。

(6)有害物(特别是酚)含量与其他贴砾管相比不超标。通过在安徽阜阳、淮滨酒厂、河南省黄河迎宾馆旧井处理工程和河南省工商行政管理局、河南省武警总队、郑州国基房地产开发公司、郑州 21 世纪花园等地热矿泉供水井工程中应用和水质化验,证明其安全可靠。

四、产品工艺和力学性能指标比较

两种产品分别是河北满城钻井公司(普通工艺管)和作者研制的新型滤水管,二者的比较见表 4-1 所示。

表 4-1 不同工艺贴砾滤水管比较

类 别	固化温度 T(℃)	抗压强度 P(MPa)	抗弯强度 M(MPa)	抗剪强度 τ(MPa)	脱模时间 T(min)	衬管类型	模具类型
普通工艺	175	7	3	2	>360	钻孔钢管	钢
新型工艺	5～50	18.63	3.73	2.79	10～30	钻孔、桥式	钢或木

注:测试由水利部松辽水利委员会基本建设工程质量检测中心检测。

五、两种工艺管制造成本比较

电费:普通管在 26kW 的烤箱内烘烤 6h(每箱可装 6 根 Φ219/259mm 贴砾管),其耗电量为 156kWh(生产用电按 0.8 元/kWh),则每箱(6m)电费支出 125 元;其黏合剂为钡酚醛树脂,市场价为 2 万元/t。而新型管无需用电,且黏合剂市场价为 1.2

万元/t。仅这两项则可节约费用 45 元/m(每米用黏合剂 3kg),年产量按 3 000m 计,则可节约费用 13.5 万元。

六、产品规格及应用范围

产品规格根据具体情况可任意制作,其中包括贴砾层厚度。一般情况下常用规格按表 4-2 选择。

表 4-2 常用贴砾滤水管规格及适用范围

衬管直径 (mm)	贴砾层厚度 (mm)	最大外径 (mm)	单根长度 (m)	贴砾粒径 (mm)	适用范围
89	20	130	1	0.75~1	旧井处理
108	20	150	1	1~2	旧井处理
140	20	180	1	1~2	旧井处理
146	20	186	1	1~2	旧井处理
159	20	205	1	1~2	旧井处理、地热井
168	20	208	1	1~3	旧井处理、地热井
219	20	260	1	1~5	旧井处理、地热井

七、应用情况

研制的新型贴砾滤水管分别在安徽省国桢太平洋电力有限公司、河南省淮滨乌龙酒业有限公司、河南省周口地区电业局、安徽省亳州自来水公司、河南省黄河迎宾馆等地热井或一般旧井处理工程中应用,并取得了较好的效果和效益。这些水井都是因为水井大量涌砂(粉细砂)和井管腐蚀破裂而不能正常使用,图 4-2 为河南省黄河迎宾馆和河南省淮滨乌龙酒业有限公司贴砾滤水管在旧井处理工程中应用现场。

另外,近年来我们还把新型贴砾滤水管应用到 1 200m 地热矿泉供水井工程。如河南省武警总队、河南省工商行政管理局、郑州

图 4-2 新型贴砾滤水管在地热旧井处理工程中的应用

国基房地产开发公司、郑州 21 世纪花园等地热井均采用该贴砾滤水管，无论是成井速度还是成井质量都显示出较大的优势。图 4-3 是贴砾滤水管在地热深井工程中的应用。在地热钻井工程

图 4-3 贴砾滤水管在地热钻井工程中的应用

中选用该类型的滤水管具有"安全、可靠、过滤效果好、钻井口径小、效率高、综合成本低"等特点,特别适用于容易涌砂地层,对防止涌砂具有显著的效果。

第四节 供水井除砂器研制与应用

一般在第四系松散层成井,存在着不同程度的含砂量偏高问题。特别是在河南省郑州、开封、周口等地区,其取水含水层均为细砂、粉细砂等。对有些供水水质要求较严格的,可分别选择旋流除砂器或过滤除砂器。当含砂量较高时,必须在井内进行修复,否则容易磨损或腐蚀供水设备、管道和引发地面沉降、建筑物倾斜倒塌等环境问题。为此,结合市场需求我们于 2000 年研制了 XL－1 型供水井旋流除砂器和 L－1 型供水井过滤除砂器。这两种类型的除砂器在地面与供水管道串联,不需任何动力,具有方便、快捷、成本低等特点。

一、XL－1 型供水井旋流除砂器

该除砂器是根据"两相流体力学"理论和原理进行设计的。如图 4-4 所示,它由圆筒体、圆锥体、储砂筒、进水管、出水管等组成。

其工作原理是:含砂和水两相流体由进水管沿切线方向进入圆筒体内,沿内壁做回转运动,由于砂的密度大于水,从而在离心力作用下沿内壁下滑至除砂器下部的储砂罐中,再通过阀门排出。另外,由于流体的高速旋转运动使旋流器的中心处形成一个低压区,水则通过上部液流管(出水管)进入供水系统。

设计该类型除砂器所需的主要参数是涌砂颗粒的粒径、供水井的稳定出水量。知道了上述两个参数,则可根据下述公式设计计算除砂器的进水管直径和确定其他尺寸。

$$d_p/d_0 = 1.2 \qquad d_w/d_0 = 0.2 \sim 0.5 \qquad d_0/D = 0.25$$

图 4-4 XL-1 型供水井旋流除砂器

$$H_0/D = 0.2 \qquad H/D = 0.5 \qquad \alpha = 30° \qquad (4-1)$$

式中　d_0——进水管内径,mm;

　　　d_p——液流管内径,mm;

　　　d_w——排砂口内径,mm;

　　　D——圆筒部分内径,mm;

　　　H——圆锥部分高度,mm;

　　　H_0——进水管中心到液流管底端的垂直距离,mm;

　　　α——圆锥体角度,(°)。

　　按上述公式设计好图纸后,还需进行必要的除砂临界粒径的验算,其计算公式为

$$d = 0.832[\mu/(\rho_s - \rho)V_0]^{0.5} \times \frac{d_p^{1.28}}{H_e - d_0} \qquad (4-2)$$

式中　d——砂的临界粒径,mm;

　　　μ——20℃水的黏度,1.005×10^{-3}Pa·s;

　　　V_0——进口处水的平均流速,m/s;

H_e——旋流器的有效高度,m;

ρ_s——砂的密度,1 400kg/m^3;

ρ——水的密度,1 000kg/m^3;

d_0——进水管内径,m;

d_p——液流管内径,m。

若计算临界粒径小于实际出砂粒径时,则可起到除砂效果;否则需要重新设计进水管直径并验算。

该类型的除砂器主要适用于供水时流量为不变值的情况,当流量不变时,其进水速度才可能保证不变,这样才能达到除砂效果。但是,目前多数地热井使用单位一般都采用变频控制供水,供水设备可根据实际用水量自动调节流量,这样一来进水口流速将成为变值,从公式(4-2)可以看出,其除砂器将失去作用。

二、L-1型供水井过滤除砂器

目前,一般水井的供水设备多采用变频自动供水,即根据用水量大小自动调节水泵的流速或水量。这样一来,其进水速度是一个变量。旋流除砂器容器设计的两个重要参数是进水速度和砂粒直径,其中在设计旋流除砂器尺寸和验算临界砂粒时,进水速度按定值计算。进水速度为变量时,其进水管径也必须随之变化。所以,当进水流速为变量时,旋流除砂器则不能达到理想的除砂效果。针对这一问题,我们又设计研制了 L-1 型过滤式除砂器。它由 Φ159 桥式贴砾滤水管(若干根)、容器罐、进水管、出水管汇和排砂管等组成,见图 4-5。

(一)工作原理

含砂井水(两相流)由进水管进入容器内,水则通过均布在容器内的若干桥式贴砾滤水管进入出水管中,然后直接供到用户管网中使用;固体或砂粒则被过滤在容器内,处于沉淀或悬浮状态,根据砂量的大小定期或不定期由排砂管排出(阀门控制)。

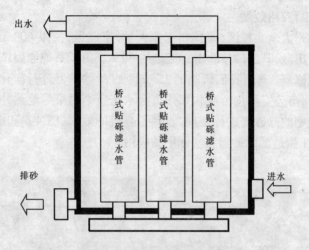

出水

桥式贴砾滤水管　桥式贴砾滤水管　桥式贴砾滤水管

排砂

进水

图 4-5　过滤除砂器工作原理

(二)特点

(1)安装方便,运行过程中操作简单,排砂时在抽水中只需开启阀门 30s 左右即可把容器内的固体物或砂粒排净。

(2)使用寿命长,过滤无需专门的反冲洗,过滤层不易被堵塞。

(3)压力损失小,一般压力损失在 0.01~0.05MPa。

(4)与旋流除砂相比,不受流速和砂粒大小等其他因素的影响,并且更安全可靠。

(5)适用范围广泛,可用于任何供水井除砂,并且可在工业冷却水和污水处理等领域起到过滤杂物或其他固体物的作用。

(三)过滤器和贴砾滤水管数量的设计

单根贴砾滤水管长度为 1m,单根出水量为 10t/h。实际中根据水量大小可确定贴砾滤水管数量,然后再确定容器的大小。如某供水井最大出水量为 50t/h,含砂量偏大,需要除砂。选择贴砾滤水管数量为 5 根,容器的最大外形尺寸为 1 082mm×1 380mm。

(四)应用效果

郑州大学北校区(原郑州工业大学)家属区,一眼 600m 供水井大量出砂,其出砂量约占总流量的 30%。由于其他原因该井暂时不能修复,选用我们研制的 L-1 型过滤除砂器进行净化。另外,郑州市公安局拘留所和郑州市金水区庙李温泉等地热井均采用该类型的除砂器进行处理,收到了显著的效果,图 4-6 和图 4-7 为 L-1 型过滤除砂器在实际中的应用。

图 4-6　L-1 型过滤除砂器的应用

左图为地热井涌砂情况,右图为过滤前后对比

图 4-7　过滤除砂器除砂效果

第五章 地热井涌砂问题
研究与处理技术

第一节 地热井涌砂的危害与成因分析

一、涌砂的危害和对环境的影响

水井涌砂时(含砂量大于万分之四时)会加速水泵和其他供水设备的磨损和损坏,容易造成管网和用户管道堵塞,不经过滤或二次沉淀不能正常使用。长期抽水造成井内沉淀、堵塞花管和加速磨损腐蚀,最终导致水量减小、大量涌砂和报废。水井大量涌砂时,除上述问题外,可导致地面沉降和周围建筑物裂缝或倒塌,引发一系列的环境和安全问题。如河南省开封监狱、河南省杞县化肥厂等水井,由于大量涌砂未及时处理,最终导致地面塌陷、泵房开裂或沉入地下 1~2m。

二、涌砂的成因

在细颗粒地层中成井,采用传统工艺的水井涌砂是一个难以解决的问题,对于正常使用情况下的水井涌砂,则是由于以下几种原因。

(一)井管腐蚀破裂

井管连接或焊接问题,腐蚀、水泵磨损或碰撞井管等会使井管破裂,从而产生涌砂,破裂严重时还会出砾料。常见腐蚀破裂处是钢管焊接部位或螺纹连接处、变径位置、泵头位置和动水位上下位置。一般地热深井,当焊接或连接处存在隐患时,在下管过程中由于拉应力的逐渐增加或使用时的震动疲劳破坏、井管下沉造成开缝或断裂,同时,在焊接时产生的应力容易引起应力腐蚀;另外,在安装水泵时由于密封问题产生的高速水流把井管穿透。

(二)砾料下沉

常用的成井工艺是投砾和使用笼状管,长期抽水后砾料会下沉密实,若不采取周全措施在围填层内将会出现"空白"段,这样就会引起出浑水或涌砂。

(三)井内压力平衡破坏

如图 5-1 所示,若要保持地层中的砂不进入井管内,必须满足 $P_w > P_c$,否则将会导致涌砂。从图 5-1 中可知,

$$P_w = 9.81 \times 10^{-3} \gamma_w (h - S) \tag{5-1}$$

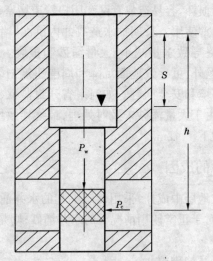

图 5-1　井内压力平衡图

式中　P_w——抽水时井内液柱压力,MPa;

　　　γ_w——水的密度;

h——静水位至砂层的深度,m;

S——抽水时降深,m。

$$P_c = \lambda P_s = 9.81 \times 10^{-3} \lambda \gamma_m h \qquad (5\text{-}2)$$

式中　P_c——地层侧压力,MPa;

　　　P_s——上覆岩层压力,MPa;

　　　λ——侧压系数,砂层 $\lambda = 0.41$;

　　　γ_m——岩层密度,砂 $\gamma_m = 2.3$

把式(5-1)、式(5-2)代入 $P_w > P_c$ 得:$S < 0.057h$。

从上述可以看出,降深和砂层位置的关系,对于不同深度的砂层,只要满足 $S < 0.057h$ 的降深才能保证不涌砂。同时也证明,强力开采进水速度过高容易产生涌砂。在有围填滤料的情况下,其滤水管允许进水速度可按下式计算:

$$v_允 \leqslant 56.67 K^{0.411} \qquad (5\text{-}3)$$

式中　K——含水层渗透系数,m/d。

许多水井都是由于大泵量强力开采(进水速度过高)或动水位急剧下降而导致的涌砂或出浑水。

(四)成井工艺与质量问题

一般的成井工艺是钻孔—扩孔—冲孔—下管—冲孔换浆—投砾—洗井—抽水。在成井工艺方面造成水井涌砂的主要因素有:砾料与地层颗粒级配不合理,井斜造成填砾厚度不均或"架桥",滤水管直接对准粉砂层。

第二节　涌砂井的治理技术

一、涌砂位置的判断

涌砂井的处理关键是判断其成因和出砂位置。通过短期(6~

24h)的抽水观察和利用井下电视检测来确定出砂位置和成因,采用排除法逐一检查。即首先利用井下电视直观确定是否是因为井管破裂而引起的涌砂,其检测重点位置是静水位—动水位区间井管的连接处、下泵位置、动水位上下处、变径位置、井管所有连接(焊接)处。通过井下电视检查若没有发现问题,则可考虑由砾料下沉、井内压力平衡破坏、成井工艺等因素,其主要工作和程序如下:

(1)了解和掌握原始资料和当时成井情况,主要收集的资料有钻井柱状图、井管材料、砾料直径、滤水管类型、地层情况。

(2)测量静水位、动水位和井内沉渣深度。

(3)了解泵量、下泵位置及使用过程中的异常情况。

(4)了解止水位置及最上层滤水管位置。

了解上述情况后,抽水观察出砂(浑水)的时间,另外计算排出静水位至动水位水体积所需时间和各段砂层中的砂砾上升到井口所需时间。一般情况下,泵启动后1~5min内就出砂(浑水),则出砂位置在下泵位置附近;5~30min后出砂,则在中、深位置。必要时可采用分段抽水来详细确定出砂位置。

二、方案选择

出砂位置确定后,结合原水井结构按表5-1方案进行合理选择。

一般实管破裂可用小一级或二级的实管进行修补,对于滤水管位置出砂,则可选择贴砾滤水管进行修补。具体方案则应根据水井的实际情况,考虑成本、井斜、错位、安全、管径等因素选择最佳方案和设计。一般旧井内情况比较复杂,设计加工止水密封装置是一个关键,此项工作的好坏将直接影响着成败。另外,在下补管前还应进行探井。其探井装置的外径应比补井管材的最大外径大10~20mm,长度4~10m。

表 5-1 涌砂治理技术方案选择

治理方法	出砂位置	特点
井口悬挂法	井口下部附近	难度小、安全可靠
变径悬挂法	变径下部附近	井斜时难度大、安全可靠
变径坐底法	变径上部附近	难度小、安全可靠
井底坐底法	井底上部附近	井斜时难度大、安全可靠
局部处理法	井内任何位置	成本低、技术含量高
井内投砾法	井底井管错位	简易、成本低、效率高
高压灌浆法	实管任何位置	不改变井结构

三、补管的结构设计

补管的结构设计原则是"安全、可靠、顺畅",其主要组成部分有管体、马蹄口(喇叭口)、变径和密封装置,如图 5-2 所示。管体可选择钢管、贴砾滤水管;马蹄口和喇叭口是保证下管和起下泵顺畅;变径位于补管最上部,主要用于提挂和安装止水盘(长度 0.5~1.0m),有时用于变径处。密封装置由环形钢板、螺孔、螺栓、橡胶(厚度 5mm)组成,密封钢板环中间的橡胶大于 5 层,必要时可在补管区间增加止水盘数量。

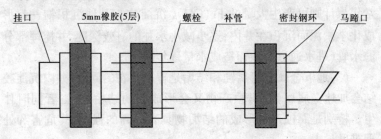

挂口　　5mm橡胶(5层)　　螺栓　补管　　密封钢环　马蹄口

图 5-2 上部补管密封装置结构示意图

第六章 地热井水量衰减
问题与处理技术

第一节 地热井水量减小成因与类型

一般的水井正常使用 2~5 年后都会不同程度地产生水量减小问题,其成因和类型较多,主要有以下几方面:

(1)地层中的固体物(黏土、砂等颗粒)、水中的有机物等在水流和重力作用下沉淀井底,造成淤积。

(2)地下水中含有大量的 Ca^{2+} 和 Mg^{2+} 等,这些阳离子与水中的碳酸根和硫酸根等阴离子反应生成沉淀物充填到裂隙,造成含水层堵塞。

另外,地下水中的铁离子在缺氧情况下主要以 Fe^{2+}(无色)形式存在,当抽水过程中或在静水位和动水位之间水与空气接触时,水中的 Fe^{2+} 立即转化为 Fe^{3+},主要以 $Fe(OH)_3$ 黄色沉淀物出现,常年累计则可产生大量的 $Fe(OH)_3$ 沉淀物与其他沉积物一起形成化学淤泥而沉积在井内,逐步减小水井的有效深度,并掩埋部分滤水管(进水通道),从而造成水量逐年减小。

(3)地下金属井管腐蚀和结垢是普遍存在的问题,井内沉淀胶结会加速金属腐蚀,腐蚀产物又会形成新的结垢物,二者同时伴生。特别是腐蚀产物形成的结垢物具有很高的强度,其危害和处理难度最大。

(4)井内堵塞的另一种因素还有微生物黏泥。在井内产生这种堵塞物的微生物主要是铁细菌(好氧菌)和硫酸盐还原菌(厌氧菌),这些微生物一方面因为自身大量繁殖产生结垢;另一方面其分泌物产生"微生物黏泥"与其他固体物混合黏附在井壁上而形成胶结物。井管中上部最常见的橘黄色"凸状锈瘤"则是由于铁细菌大量生长繁殖而引起的。铁细菌包括嘉氏铁杆菌(Gallionella)、球衣细菌(Sphaerotilus)、鞘铁细菌(Siderocapsa)和泉发菌(Crenothrix)等。铁细菌繁殖的条件是:①在含铁的水中生长;②通常被包裹在铁的化合物中。铁细菌是好氧菌,但也可在氧含量小于0.5mg/L的水中生长。最终生成体积很大的红棕色黏性沉积物——"锈瘤"(主要成分是Fe_2O_3),其原理是铁细菌能使水中的亚铁离子转化为不溶于水的三氧化二铁的水合物:

$$2Fe^{2+} + 1.5O_2 + XH_2O \longrightarrow Fe_2O_3 \cdot XH_2O$$

另外,由于铁细菌的大量繁殖,产生"锈瘤"堵塞井管的同时,也容易使井管出现许多溶解氧浓差电池,而造成井管的局部腐蚀。

(5)井内掉入的杂物在变径处聚集,从而增加了出水阻力,同时也影响单井的出水量。

(6)水位下降。城市大量无序的开采地下水,使地下水下降速度过快而造成地下水资源枯竭,如郑州市区地下水以2~4m/a速度下降,使200~300m的水井水量急剧下降。

第二节 地热井胶结成垢影响因素与评价

井内胶结成垢是一个普遍存在的问题,该问题可同时引发滤水管堵塞(水量减小)。另一方面由于产生缝隙(垢下)腐蚀,导致井管破裂而出浑水、出砂或水质恶化等,其中最突出问题表现在水量急剧下降。井内胶结成垢主要与地下水化学类型有关。

一、含盐量

含盐量是指地下水中溶解性盐类的总浓度(mg/L)。含盐量高的地下水中,Cl^- 和 SO_4^{2-} 含量往往较高,因而水的腐蚀性较高。含盐量高的地下水中,若 Ca^{2+}、Mg^{2+} 和 HCO_3^- 的含量较高,则水的结垢倾向较大。

二、钙离子浓度

从腐蚀角度来看,软水虽不易结垢,但其腐蚀性较强。因此,地下水中钙离子浓度的低限不宜小于 30mg/L。从结垢角度来看,钙离子是成垢的主要阳离子。所以,地下水中钙离子浓度高限不宜大于 200mg/L。

三、镁离子浓度

镁离子也是水中主要的成垢阳离子。一般情况下,水中的镁离子浓度不宜大于 60mg/L 或 2.5mmol/L(以 Mg^{2+} 计)。

由于镁离子易与水中的硅酸根生成类似于蛇纹石组成的不易用酸除去的硅酸镁垢,所以,要求水中镁离子浓度遵循以下关系式:

$$[Mg^{2+}](mg/L) \times [SiO_2](mg/L) < 15\,000$$

四、总铁(Fe^{2+}、Fe^{3+})

一般地下水中都含铁,特别是在河南省郑州、开封等地铁含量均超标。地下水中总铁浓度可作为金属井管腐蚀情况的依据。一般情况下,总铁浓度 0.1~0.2mg/L 时为正常;总铁浓度 0.5~1.0mg/L 时为过高;当总铁浓度大于 1mg/L 时为腐蚀信号。一般要求含铁总量小于 0.5mg/L。

五、碱度

碱度是指水中能与强酸发生中和作用的碱性物质的含量。地下水中的碱性物质主要是 HCO_3^-。碱度的单位可用 mmol/L 或

$mg/L(CaCO_3)$ 表示。

六、氯离子浓度

氯离子是一种腐蚀性离子,它能破坏碳钢、不锈钢和铝等金属或合金表面的钝化膜,引发金属的点蚀、缝隙腐蚀和应力腐蚀。

七、硫酸根浓度

硫酸根也是一种腐蚀性离子,硫酸根还是腐蚀性细菌——硫酸盐还原菌生命活动中不可缺少的物质。硫酸根还可以与水中的钙离子生成硫酸钙垢。

第三节　水量减小处理技术方法

水量减小的成因与类型较多,在处理这类问题前应首先收集地下水水质化验数据、地层情况及成井柱状图,并配合井下电视图像信息分析来判别其成因。对于水位下降、滤水管淤积和堵塞、腐蚀,通过图像可以直观判断;对于地层坍塌则可通过抽水观察和使用过程中异常、成井情况、地层情况等综合分析来确定。

洗井方法较多,在实际工作中根据不同的情况和成因可采用单一或联合洗井方法,具体处理方法与使用范围见表6-1。

表6-1　水量减小处理方法与适用范围

处理方法	适用范围	作用	特点与效果
空压机振荡洗井	井内淤积与沉淀	排渣疏通含水层	效率高、成本低
钢刷刷洗井壁法	井壁结垢与锈蚀	清除作用	成本低、处理干净
控制爆破洗井法	结垢与砾料胶结严重	破坏其强度	效率高、成本低
CO_2 洗井法	淤积与轻度结垢	排渣、形成负压	效率高、成本低
HCl洗井法	碳酸岩地层及除锈	产生化学反应	工艺复杂、效果好
活塞拉孔法	轻度结垢	重新排列砾料	成本低、效果好

值得注意的是,传统的洗井方法是用空压机振荡洗井,但当堵塞物类型是由于腐蚀产物和钙镁离子等引起的滤水管堵塞,并具一定强度时,仅采用空压机振荡洗井是不能解决问题的。

具体处理时常把空压机振荡洗井与其他任何一个方法配合形成联合洗井法。对于大多数旧井我们常采用酸处理—钢刷刷井壁—空压机振荡洗井、控制爆破—酸处理—钢刷刷井壁—空压机振荡洗井等联合洗井技术方法。空压机和钢刷刷井壁洗井方法较为简单,本书不再赘述。以下结合我们常用的技术方法和工作实际重点介绍三种技术含量高的洗井方法,即控制爆破、酸处理和CO_2洗井方法。

一、控制爆破洗井技术

控制爆破技术在地面建筑拆除和土石方工程中应用已很广泛,并且其计算公式和方法较多。对于基岩地层常用炸药爆破力来扩充岩石中的裂隙,以达到增加水量的目的。但是在普通旧井管内的爆破,目前还没有完整的公式和资料,作者结合工程实例和经验就控制爆破洗井技术做简要的介绍。

(一)爆破洗井机理

井内爆破洗井是利用炸药在瞬间产生的高温高压气体的冲击波冲击井壁四周。使井壁胶结物和围填砾料胶结的强度破坏,同时形成较大的负压使胶结堵塞物排除,达到洗井目的。如1kg硝化甘油炸药产生的热量为6.2×10^6J、气体715.7L,其化学反应过程是:

$$4C_3H_5(NO_3)_3 \longrightarrow 12CO_2 + 10H_2O + 6N_2 + O_2$$

其爆速为2 000～6 000m/s,温度达2 000～5 000℃,压力5万～20万大气压。深水中爆破其能量主要有两种形式,一个是冲击波作用,另一个是高压气团膨胀功和所形成的高速水流作用。计算表明,用于形成冲击波的能量和保留在高压气球中的能量各占炸药总能量的 40%，其余 20%则产生热量。炸药爆炸瞬间（冲击波最大压力不超过总能量的 10%～20%），结垢物首先受到通过水介质传递的第一次冲击力作用并且发生反射，井内四周在此作用下使脆性胶结物产生破碎，随后在高压气团作用下迅速向外加速膨胀进行突跃加载，而实现围填砾料层彻底疏通，当水位较浅、一次起爆炸药量大时，可能产生井喷现象。

（二）爆破药量计算方法

一般资料和教科书中的计算公式是：

$$Q = 8.5R^3/KPmn \tag{6-1}$$

式中　Q——炸药量，kg；

R——爆破范围半径，m；

K——炸药爆力系数，TNT 为 1.5、硝铵类为 0.8～1.2；

P——岩石硬度系数，一般为 0.3～1.2；

m——钻孔与爆破器直径差系数，0.85～1；

n——爆破筒系数，铁皮为 1、铁管为 0.8～0.9、钢管为 0.85。

上述公式对于裸眼基岩来说要求不严，但是在井管内爆破药量偏高，容易对井管产生破坏作用，甚至使水井坍塌而报废。

在旧井处理工程中，其药量应按材料和岩石（胶结物）的力学抗压强度理论来进行设计和计算，同时还应考虑水压力的影响。也就是说，若在基岩裸眼中爆破，是为了扩充裂隙和破坏岩石强度，达到增加进水面积的目的。要求炸药产生的压力大于岩石的抗压强度，同时要克服水压力的作用；在旧井处理工程中，破坏滤水管中的堵塞物、胶结物、围填砾料胶结强度而不能破坏井管，则要求炸药产生的压力大于胶结物强度，小于井管材料的抗压强度，考虑水压影响时，其药量可增加 10%～20%。

据上述理论和多次试验应用，在旧井处理工程中，可按下述公式来确定药量。

对于基岩裸眼爆破：

$$533 \times (Q^{1/3}/r)^{1.13} > P + \beta \qquad (6-2)$$

式中　Q——TNT用量，kg；

　　　r——距爆破中心的距离，m；

　　　P——岩石的抗拉强度，kg/cm^2；

　　　β——孔内液柱压力变化值。

对于旧井管内爆破：

$$P_{胶} < 533 \times (Q^{1/3}/r)^{1.13} < P_{管}/n \qquad (6-3)$$

式中　$P_{胶}$——胶结物抗拉强度，kg/cm^2；

　　　$P_{管}$——井管抗拉强度，kg/cm^2；

　　　n——安全系数，据井管使用年限和腐蚀程度确定，$n = 1.5 \sim 3$。

(三)技术关键与安全操作规程

(1)爆破前首先了解井管及井内的详细情况。

(2)爆破点选择在含水层对应的花管处。

(3)导线各接头连接处采用高压防水胶带密封，以免渗水、漏电。

(4)爆破前应对雷管和导线进行测试，电阻相差较大的雷管应区分使用，并对整个回路电阻进行计算，然后根据起爆电流得出最低电压。

(5)装药时首先把导线和雷管两根脚线拧在一起，形成短路以免产生电压起爆。

(6)严禁在雷雨天气和高压线区作业，操作员不得穿化纤衣服，以免产生静电感应。

(四)应用实例与效益分析

1.应用实例

河南省郑州航空学院一供水井使用铸铁管，由于多年未洗井导致花管堵塞和胶结，出水量由原来的70t/h下降到不足50t/h。

用空压机振荡洗井 12 天无效果,后采用控制爆破技术在井内爆破 6 个点,仅用 1 天时间使水量在原来基础上增加了 26％,达到了预期的效果和合同要求。另外,在安徽省亳州自来水公司,安徽阜阳电厂、河南省驻马店纸厂、中牟日野汽车制造厂、河南省广播电视发射台等地采用控制爆破技术处理旧井,均取得了较好的效果。图 6-1 所示为爆破洗井时的井喷现象。

图 6-1　爆破洗井时的井喷现象

2.效益分析

两种洗井方法的效益分析(以郑州航空学院为例)。

(1)空压机洗井:

动力 45kW,每台班耗电 360kWh,按 0.8 元/kWh 计,12 天总共用电费用(每天按 1 个台班)为 12×360 元/台班×0.8＝3 456 元

人员工资及补贴:6 人×50 元/人天×12 天＝3 600 元

设备管材租赁费:200 元/天×12 天＝2 400 元

总计直接费用:9 456 元

(2)控制爆破洗井：

炸药 TNT930g(20 元)，电雷管 12 个(30 元)

人员工资及补贴：6 人×50 元/人天×1 天＝300 元

设备及管材租赁费：1 天×200 元/天＝200 元

总计直接费用：550 元

由此可见，采用控制爆破洗井不但起到很好的效果，而且还能降低直接成本 8 906 元，有着很好的经济效益和社会效益。

二、酸化处理技术

酸化处理(盐酸洗井)是一种化学洗井方法。特别适用于石灰岩、白云岩、大理岩地层和旧井管内的钙质胶结和铁细菌引起的滤水管堵塞物的溶解或去除，达到疏通含水层和进水通道之目的。

(一)盐酸的性质

盐酸的化学式为 HCl，密度 1.15，具有较强的腐蚀性、刺激性和毒性，浓度高时又具有挥发性。工业盐酸的浓度一般在 15%～30%之间，呈浅黄色液体。

(二)盐酸洗井机理

盐酸洗井的目的是溶解碳酸钙、碳酸镁和铁细菌等强度较高的胶结物或腐蚀产物。其化学反应式为

$$CaCO_3 + 2HCl = CaCl_2 + H_2O + CO_2 \uparrow$$

$$MgCO_3 + 2HCl = MgCl_2 + H_2O + CO_2 \uparrow$$

通过上式的化学反应可以看出，碳酸钙、碳酸镁等胶结沉积物(堵塞物)在盐酸的作用下生成可溶性钙镁离子、水和二氧化碳气体。这些反应产物则很容易随水流排出井外，从而达到疏通清理之目的。

对于铁细菌引起的井内胶结(铁锈瘤)，其化学成分主要是 FeO、Fe_2O_3、Fe_3O_4。盐酸与其可反应生成可溶性离子，其反应式为

$$FeO + 2HCl = FeCl_2 + H_2O$$

$$Fe_2O_3 + 6HCl = 2FeCl_3 + 3H_2O$$

$$Fe_3O_4 + 8HCl = 2FeCl_3 + FeCl_2 + 4H_2O$$

(三)酸用量的确定

计算公式为

$$V = 6.28(R^2 - r^2) \tag{6-4}$$

式中　V——酸用量,m^3;

　　　R——处理半径,一般取 $0.3 \sim 0.5m$;

　　　r——井管半径,一般为 $0.15 \sim 0.3m$。

实际工作中为了减少酸对金属井管的腐蚀,必须按 1%(重量比)加入甲醛(防腐剂)。

(四)酸处理注意事项

酸处理时对人体、井管、设备以及局部地下产生一定危害,所以在操作时要严格按照安全防护措施和操作规程,具体规程如下:

(1)向井内注酸前,检修好水泵、钻具和各连接部位,确保在短时间内顺利注入井内所洗位置。

(2)根据井深、井径和处理井段(滤水管)长度,计算好酸量和替浆量。

(3)在地面容器内配制好处理液,操作人员在上风口并注意配戴防护面具和防酸手套。

(4)一旦人体接触酸时,立即用清水进行冲洗。

(5)注酸完毕后,立即根据计算的替浆量向井内注入清水或低密度泥浆。

(6)反应时间一般在 $8 \sim 24h$,随后用潜水泵或空压机进行抽水,注意开始的反应物和水具有腐蚀性,所以不能随意排放。

(7)酸化处理后,井内将形成大量的气体,一旦抽水时很容易产生井喷。所以,抽水前注意采取防护措施。

(8)在地下泵房或密封较严的时候,酸处理后,严禁使用电焊或明火。否则,容易引起井内爆炸。

三、CO_2 洗井

(一)CO_2 性质

CO_2 是无色、无臭的气体,分子量为44,密度约为空气的1.5倍。CO_2 在不同条件下可以气、液、固三种状态存在。固体二氧化碳也叫干冰。CO_2 的化学性质不活泼,既不可燃也不助燃。但作为碳酸酐,它与强碱有强烈的作用,能生成碳酸盐。在一定条件及催化剂作用下,CO_2 还能参加很多化学反应,且表现出良好的化学活性。

1. 气体 CO_2 的密度

气体 CO_2 的密度,在温度不太低、压力不太高的情况下,可以近似地按理想气体状态方程式计算。

$$\rho = PM/RT \tag{6-5}$$

式中　ρ——气体二氧化碳的密度,kg/m^3;

　　　P——气体二氧化碳的压力,Pa;

　　　T——气体二氧化碳的绝对温度,K;

　　　M——二氧化碳的分子量,kg/mol;

　　　R——气体常数,$8.314kN \cdot m/kmol \cdot K$。

若在高压低温条件下,气体 CO_2 必须按真实气体看待,则上式应予校正,校正后的状态方程式应为

$$PV = ZRT \tag{6-6}$$

式中,Z 为压缩系数,表示真实气体与理想气体的偏差程度。那么,密度公式相应为

$$\rho = PM/ZRT \tag{6-7}$$

2. 液体 CO_2 的密度

液体 CO_2 的密度受压力的影响甚微,而受温度的影响较大,

其值见表 6-2。

表 6-2   液体 CO_2 的密度

温度(℃)	密度(kg/m³)	温度℃	密度(kg/m³)
31.0	463.9	−12.5	993.8
30.0	596.4	−15.0	1 008.1
27.5	661.0	−17.5	1 018.5
25.0	705.8	−20.0	1 029.9
22.5	741.2	−22.5	1 041.7
20.0	770.7	−25.0	1 052.6
17.5	795.5	−27.5	1 063.6
15.0	817.0	−30.0	1 074.2
12.5	838.5	−32.5	1 084.5
10.0	858.0	−35.0	1 094.9
7.5	876.0	−37.5	1 105.0
5.0	893.1	−40.0	1 115.0
2.5	910.0	−42.5	1 125.0
0.0	924.0	−45.0	1 134.5
−2.5	940.0	−47.5	1 144.4
−5.0	953.0	−50.0	1 153.5
−7.5	968.0	−55.0	1 172.1
−10.0	980.8		

3. 固体 CO_2 的密度

固体 CO_2 的密度受压力影响甚微,受温度的影响也不大,其密度值见表 6-3。

4. CO_2 的化学性质

CO_2 的分子为线性对称结构,构造式可写为 O ══ C ══ O,碳原子分别和两个氧原子通过 δ 键和 π 键形成两个等价的双键。根据光谱分析,其键长为 1.161 5Å。因此 CO_2 有一个比较稳定的分子结构,它的第一电离势为 13.78eV。所以,CO_2 是一个相当弱的电子给体,但却是一个较强的电子受体。CO_2 的热稳定性很高,在2 000℃时仅有1.8%的分子离解成 CO 和 O。但 CO_2 作为碳酸酐却能与强碱作用生成碳酸盐。

表6-3 固体 CO_2 的密度

温度(℃)	−56.6	−60	−65	−70	−75	−80	−85	−90
密度(kg/m³)	1 512	1 522	1 535	1 546	1 557	1 566	1 575	1 782

(二)CO_2 洗井机理

我们利用 CO_2 的物理化学性质,将净化后的气态 CO_2,在常温下施加压力 7MPa 时即变为液态 CO_2,并存放在专用钢瓶内。

实际操作中,将瓶装 CO_2 与通入井内的管汇连接,而后同时开启阀门。液态 CO_2 在井内由于压力降低和物相变化,在井内急剧膨胀并变成气态 CO_2 从而释放出强大的压力冲击滤水管。滤水管缝隙和围填滤层中已形成一定强度的腐蚀产物、胶结物或其他充填物,在一定压力作用下破坏其强度,随后以井喷的形式携带其喷出井外,与此同时,井喷过程中,井内产生负压区,井管外液柱压力大于井内液柱压力,在这种情况下,井管外的含水层的水将涌向井内。这个过程也称"冲洗和反冲洗过程",反复几次即可达到疏通含水层和清理井底沉积物之目的。

(三)CO_2 洗井安装

一般情况下,CO_2 洗井需要高压气瓶 20 ~ 30 个(专用 7MPa)、Φ50 钻杆 300m、管汇及阀门一组。其安装如图 6-2 所示。

实际操作时可根据井深、沉淀厚度和静水位等确定 3~5 次井喷,每次需二氧化碳 10~15 瓶。事先把所有管汇和钻杆连接后,检查是否密封完好。然后开启所有支阀,待人员撤离后,快速开启总阀,井喷后再安装下次气瓶。图 6-3 为 CO_2 洗井技术在地热井

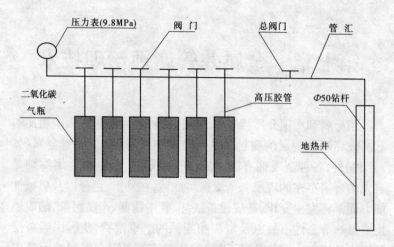

图 6-2　CO₂ 洗井安装示意图

中应用的井喷景观。

图 6-3　CO₂ 洗井时的井喷景观

(四)CO₂ 洗井的特点

CO₂ 洗井具有成本低、速度快、洗井彻底等特点,同时对滤水管部分的胶结物具有较强的破坏作用,对地热井的增产具有显著的效果。

第七章 金属井管腐蚀治理技术

当金属和周围介质接触时,由于发生化学和电化学作用而引起的破坏叫做金属的腐蚀。从热力学观点看,除少数贵金属(如Au、Pt)外,各种金属都有转变成离子的趋势,就是说金属腐蚀是自发的普遍存在的现象。金属被腐蚀后,在外形、色泽以及机械性能方面都将发生变化,造成设备破坏、管道泄漏、产品污染,酿成燃烧或爆炸等恶性事故以及资源和能源的严重浪费,使国民经济受到巨大的损失。据估计,世界各发达国家每年因金属腐蚀而造成的经济损失占其国民生产总值的3.5%~4.2%,超过每年各项大灾(火灾、风灾及地震等)损失的总和。因此,研究腐蚀机理,采取防护措施,对经济建设有着十分重大的意义。

第一节 金属防腐蚀的基本方法

金属防腐蚀的方法很多,主要有改善金属的本质、把被保护金属与腐蚀介质隔开,或对金属进行表面处理、改善腐蚀环境以及电化学保护等。

一、改善金属的本质

根据不同的用途选择不同的材料组成耐蚀合金,或在金属中添加合金元素,提高其耐蚀性,可以防止或减缓金属的腐蚀。例如,在钢中加入镍制成不锈钢可以增强防腐蚀能力。

二、形成保护层

在金属表面覆盖各种保护层,把被保护金属与腐蚀性介质隔开,是防止金属腐蚀的有效方法。工业上普遍使用的保护层有非金属保护层和金属保护层两大类。它们是用化学方法、物理方法和电化学方法实现的。

(一)金属的磷化处理

钢铁制品去油、除锈后,放入特定组分的磷酸盐溶液中浸泡,即可在金属表面形成一层不溶于水的磷酸盐薄膜,这种过程叫做磷化处理。

磷化膜呈暗灰色至黑灰色,厚度一般为 $5\sim20\mu m$,在大气中有较好的耐蚀性。膜是微孔结构,对油漆等的吸附能力强,如用做油漆底层,耐腐蚀性可进一步提高。

(二)金属的氧化处理

将钢铁制品加到 $NaOH$ 和 $NaNO_2$ 的混合溶液中,加热处理,其表面即可形成一层厚度为 $0.5\sim1.5\mu m$ 的蓝色氧化膜(主要成分为 Fe_3O_4),以达到钢铁防腐蚀的目的,此过程称为发蓝处理(简称发蓝)。这种氧化膜具有较大的弹性和润滑性,不影响零件的精度。故精密仪器和光学仪器的部件,弹簧钢、薄钢片、细钢丝等常用发蓝处理。

(三)非金属涂层

用非金属物质如油漆、塑料、搪瓷、矿物性油脂等涂覆在金属表面上形成保护层,称为非金属涂层,也可达到防腐蚀的目的。例如,船身、车厢、水桶等常涂油漆,汽车外壳常喷漆,枪炮、机器常涂矿物性油脂等。用塑料(如聚乙烯、聚氯乙烯、聚氨酯等)喷涂金属表面,比喷漆效果更佳。塑料覆盖层致密光洁,色泽艳丽,兼具防蚀与装饰的双重功能。

搪瓷是含 SiO_2 量较高的玻璃瓷釉,有极好的耐腐蚀性能,因此作为耐腐蚀非金属涂层,广泛用于石油化工、医药、仪器等工业部门和日常生活用品中。

(四)金属保护层

它是以一种金属镀在被保护的另一种金属制品表面上所形成的保护镀层。前一种金属常称为镀层金属。金属镀层的形成,除电镀、化学镀外,还有热浸镀、热喷镀、渗镀、真空镀等方法。

热浸镀是将金属制件浸入熔融的金属中以获得金属涂层的方法,作为浸涂层的金属是低熔点金属,如 Zn、Sn、Pb 和 Al 等,热镀锌主要用于钢管、钢板、钢带和钢丝,应用最广;热镀锡用于薄钢板和食品加工等的贮存容器;热镀铅主要用于化工防蚀和包覆电缆;热镀铝则主要用于钢铁零件的抗高温氧化等。

三、改善腐蚀环境

改善环境对减少和防止腐蚀有重要意义。例如,减少腐蚀介质的浓度,除去介质中的氧,控制环境温度、湿度等都可以减少和防止金属腐蚀。也可以采用在腐蚀介质中添加能降低腐蚀速率的物质(称缓蚀剂)来减少和防止金属腐蚀。

四、电化学保护法

电化学保护法是根据电化学原理在金属设备上采取措施,使之成为腐蚀电池中的阴极,从而防止或减轻金属腐蚀的方法。

(一)牺牲阳极保护法

牺牲阳极保护法是用电极电势比被保护金属更低的金属或合金做阳极,固定在被保护金属上,形成腐蚀电池,被保护金属作为阴极而得到保护。

牺牲阳极一般常用的材料有铝、锌及其合金。此法常用于保护海轮外壳,海水中的各种金属设备、构件和防止巨型设备(如贮油罐)以及石油管路的腐蚀。

(二)外加电流法

将被保护金属与另一附加电极作为电解池的两个极,使被保护的金属作为阴极,在外加直流电的作用下使阴极得到保护。此法主要用于防止土壤、海水及河水中金属设备的腐蚀。

金属的腐蚀虽然对生产带来很大危害,但也可以利用腐蚀的原理为生产服务,发展为腐蚀加工技术。例如,在电子工业上广泛采用印刷电路,其制作方法及原理是用照相复印的方法将线路印在铜箔上,然后将图形以外不受感光胶保护的铜用三氯化铁溶液腐蚀,就可以得到线条清晰的印刷电路板。三氯化铁腐蚀铜的反应式为

$$2FeCl_3 + Cu = 2FeCl_2 + CuCl_2$$

此外,还有电化学刻蚀、等离子体刻蚀新技术,比用三氯化铁腐蚀铜的湿化学刻蚀的方法更好,分辨率更高。

第二节　耐腐蚀井管的选择与应用

在河南省常用的井管材料主要是无缝钢管(20号钢),并且在同一眼井内同时采用镀锌桥式滤水管。通过理论分析和试验结果都可证明,此种技术方案易造成腐蚀,使水井使用寿命迅速下降。为此,我们在现有经济技术条件下,选择了一些耐腐蚀管材,进行了实际工程中的应用,并结合实际研制了耐腐蚀的新型滤水管,来取代镀锌桥式滤水管。其中,新型高强度贴砾滤水管的研制和应用效果显著。

一、石油套管

石油套管具有耐腐蚀、强度高等特点,在石油钻井工程中已经普遍使用,但是,由于其价格较高,在河南省的地热(中深)井中几乎未得到应用。从长远效益和技术质量保证方面,特别是从腐蚀

方面考虑,采用石油套管作为井管是目前较好的方案之一。

(一)N-80石油套管成分和主要特点

N-80钢级的石油套管是众多系列中比较常用的管材,其中含有C、Si、Mn、P、S、Cr、Mo,称合金钢。其主要元素含量为C $0.25\% \sim 0.35\%$、Si $0.15\% \sim 0.35\%$、Mn $\leqslant 0.75\%$、P $\leqslant 0.030\%$、S $\leqslant 0.005\%$、Cr $\leqslant 1.2\%$、Mo $\leqslant 0.40\%$。

主要特点是耐腐蚀、强度高(屈服强度586~689MPa、抗拉强度 $\geqslant$ 689MPa)。

(二)N-80石油套管在地热井工程中的应用

为了提高地热井的使用寿命,并且与普通无缝管进行对比,我们在河南省高速公路管理局2 763m超深层地热科学钻探工程中,选择了N-80石油套管作为井管,于2004年5月3日下入736m并进行了水泥固井。其中 Φ340mm × 9.65mm 下入 110m;244.5mm×10.03mm 下入 626mm。图7-1为该地热科学钻探工程一开和二开下管现场。

图7-1 石油套管在地热钻井工程中的应用

二、球墨铸铁管

球墨铸铁的主要成分：C 3.8%、Si 2.8%、Mn 0.5%、P 0.08%、S 0.02%。由于这些元素含量比普通的低碳钢高，所以称铁基合金。它具有良好的耐磨性和耐腐蚀性。通过大量的实际观察和经验证明，在 300～600m 的一般中深井，其使用寿命均比普通的钢管长。其中的不足是：①抗拉强度低于钢管；②目前最大的极限下管深度在 600m。

第八章 技术展望与发展方向

地热井工程属于一项重要的地下工程,其质量好坏不仅影响正常的使用,而且还将影响区域性的地下水和环境的污染。所以,在地热资源勘探与开发方面应该与环境、材料工程、机械、电子、管理等学科紧密结合,实现多种学科和技术的交叉和渗透,从而使其更加完善和合理。

第一节 地热资源开发存在的问题

一、地热资源发展规划与目标不明确

国内除了北京、天津的地热资源开发和规划做得较好外,其他地区地热井的建设单位主要是政府、宾馆、企事业单位和房地产公司等,主要用于职工福利、温泉洗浴、饮用和提高房产的卖点。由于一些地方没有实行统一的规划和管理,更没有一个明确的思路和目标,所以出现了地热资源开发与发展不均衡现象。主要表现在:局部地区过于集中钻井开采同一地层的地热水,形成水位急剧下降或断流问题;而有些地区(区域)具备良好的地热资源却没有得到很好的开发和利用,也就是说,到目前为止许多地区的地热资源开发没有形成一定规模和有效合理的开发。

二、地热资源开发利用单一

目前许多地区地热资源开发利用主要是饮用和洗浴,由于缺乏统一的管理和规划,故在综合利用上与其他城市相比相差悬殊,

最终导致投资大、成本高、效益差的结果。

三、勘查与开发深度浅

由于当地政府政策和规划不明确,再加之资金问题,从而使多数地区对更深层的地热资源勘查与开发基本处于一个盲点。以河南省为例,现有的地热井主要在 1 000～1 200m,水温也仅仅在40～58℃之间(据论证资料显示,有些地区的地热温度可达70～80℃)。

四、地热资源勘查与开发管理问题

在地热资源勘查与开发(包括地下水资源)论证与许可方面,不同地区相比相差很大。多数地区的地热资源开发利用在论证方面基本是空白,并且出现了多头管理和乱收费现象。这样一来,在地热资源勘查与开发方面一是形成了一个无序状态,二是地热开发技术含量降低,规模小,用途单一,形不成产业化经济,从而造成宝贵资源和能源的浪费。

五、部分地区决策的不合理性

由于部分地区地下水开采管理上的混乱,在许多地区出现了乱开采、乱审批、乱收费等现象,从而导致个别地区地下水位急剧下降和污染问题(实际上是位于浅层 50～300m),这样一来,有个别地区管理部门统一下令,在没有科学调研和充分论证基础上强行封井和不再审批所有建井许可(包括地热井)。在地表水和多数河流干涸和污染严重的条件下,也就是说,在普遍存在饮用水安全问题的情况下,采取因噎废食的"一刀切"措施,显然是不科学的举措。更具体一点是,目前多数自来水公司的经营不是市场行为,而是政府行为。在自来水水质和服务质量不能得到有效控制和保证的前提下,则出现了大量的自来水卖不出去,而另一方面单位都希望有自己的自备井的矛盾。政府为了保护自来水公司企业,则强行封闭自备井,并在具体实施中把生活、工业用自备井和地热井混淆为一体,使刚刚起步的地热资源勘查与开发如雪上加霜,扼杀了这一产业的发展。

六、施工单位技术参差不齐

在国内实际能够真正承担或具备地热井施工资质的单位为数不多。但是,由于管理上比较混乱,造成不管有没有实力或设备,只要与钻井业务有关的单位或个体几乎都可以从事这方面的工程;再加之招投标中的不正之风,从而出现"人情工程"、"腐败工程"等现象。所以,许多地热井相当一部分在使用不到2~3年即出现井管腐蚀破裂、出浑水或砂、水量减小、水温降低等问题。

总而言之,在目前地下水资源承载力十分脆弱的情况下,不加强论证和管理而无序开采地下水资源将会导致一系列的地质环境问题,因此在地热资源开发利用方面,亟待形成一个统一管理、统一规划、统一论证的模式和权威性的业务管理与决策机构。

第二节 知识经济条件下地热
资源的勘查与开发

"开源、节流与治污并重"是知识经济条件下地下水资源或地热资源开发利用的原则,也是各级政府和业务主管部门需要加强研究的一项重要课题。也就是说,地下水和地热的合理开发利用既是关系人口、资源、环境可持续发展的长远战略,也是当前经济和社会发展的一项紧迫任务。特别是在河南省经济飞速发展的今天,其地热资源勘查与开发还有一定差距的情况下,更应该正确处理地热资源的开发与生态、环境与经济之间的关系,不能靠单一的行政指令封停或滥采,使之协调发展,在不破坏资源环境的情况下,更好地服务于当地的经济发展。

一、正确处理地热资源开发的"得"与"失"

马克思主义哲学与辩证法原理告诉我们,世界上任何事物总是存在着对立统一的两个方面,其内部都包含着肯定与否定的两个方面,即矛盾的对立统一性。也就是说,我们在整个地球生存圈内做任何事情,都存在着"得"与"失"。地热资源作为一种地下新型的能源,无论是从环保方面、成本方面还是在水质与水资源安全上,其他的资源都无可比拟。特别是河南省大多数地区的地热水,不但可以作为一种环保型的热能源供暖、温泉洗浴、种植与养殖,而且其水质(饮用矿泉水)与严重污染的地表水相比,显示出巨大的优越性。许多采用地热资源供热供水,而无锅炉供热的洗浴、房产等行业相继出现,使我们的环境与生态得到了较好的保护,并取得了显著的效益。如,采用锅炉供热,每万平方米面积取暖,在取暖期内产生 SO_2 气体 4.26t,烟尘 7.11t,垃圾 143.8t;而采用地热供暖,不仅避免了上述的环境污染,而且省去了煤、机械费用、大量的人工投入,并且还可大大降低供暖成本(陈思群等,地热资源开发利用与科学管理)。再如,北京市一套燃气锅炉的运行成本是 40 元$/(m^2 \cdot a)$,而地热供暖的成本是 20 元$/(m^2 \cdot a)$。利用地热资源的效益是显而易见的,同时在可持续发展方面也具有重大的现实意义和广阔的前景!特别是靠地面江河为主要饮水的地区,在经常出现严重污染和断流的情况下(水资源安全严重威胁条件下),以地下深层热水作为饮用水源或供暖就显得尤为重要,是迫在眉睫需要解决的问题。所以说,地热资源的开发和利用不仅可以提高和改善人民的生活水平、改善投资环境,而且还可带动其他相关产业的发展,具有巨大的经济效益、社会效益和环境效益,同时具有广阔的市场前景和现实意义。

但是,热水资源同样是一种宝贵的地下资源,如果政府或有关专业主管部门不去加强管理和规划论证,形成一个无序的"乱批、乱采、乱用"的局面后,则会导致许多的问题和后果,如资源的浪费和地质环境的破坏(地下水位下降、地面不均匀沉降、地裂缝、建筑物开裂或倾斜、地下水污染等)。

所以,我们在地热资源勘查与开发工作中,要正确处理"得"与"失"的关系,把握矛盾的主要方面。在知识经济条件下,要树立起"地下水资源的可持续发展观",科学合理地处理"生态、环境、经济发展"关系,进一步加强研究地下热水资源的分布规律、储量、特性等,利用先进的管理办法和技术,把地表水和地下水有机结合起来,扬长避短、互通有无、优势互补、统筹规划。只有这样,才能保证地热资源的开发利用更好地为经济发展服务。

二、正确理解"节水"的含义

随着人们对水资源珍惜和保护观念的逐步增强,"节水"一词可谓是家喻户晓、人人皆知。"节水"在我们日常的工作中,主要表现在下达用水计划、限制用水指标、安装节水器械、控制开采地下水等。从保护水资源方面来说,这一系列措施我们无可非议。但是,与此同时也给人们的日常生活工作和经济快速发展带来诸多不便。"节水"的英文是 Water-Saving,在该词中的 Saving 不仅有"节约"的意思,而且还有"保留、补偿"之含义。所以,节水的含义不仅仅是节约用水,同时也包括涵养水源,它寓于着深刻的哲学思想。

由此可见,我们在日常的节水工作中只强调了节约用水方面,而忽略了对地下水资源的补给或涵养。所以,在知识经济条件下应该结合当地的经济发展和水资源具体情况采取以下管理和技术措施。

(一)管理方面

首先加强地下水资源或地热资源行政主管部门的业务能力的

学习和培训，只有自身具有较强的专业技术知识或业务能力，才能行使好职能部门的权利或为政府提供科学的决策依据；其次是加强统一管理和规划，地下水或地热资源开发利用前，做好前期论证和审批工作；最后是加强监督管理和市场规范工作，因为地热井是一个地下工程，其工程质量的好坏直接与使用寿命和最大效益的发挥有关，坚决杜绝无施工能力或技术实力较差的单位进行地热井工程的施工。最终达到一个安全可靠的地下水资源供给与高效利用的保障体系，切实可行地为社会提供清洁、安全的饮用水，以保证人民的生活质量。

（二）技术方面

在地热资源或地下水资源开发的同时实行"开采与回灌"的技术模式，即在采用地下优质资源的同时，必须同步实施地下水回灌。回灌水可根据不同情况，利用自来水公司的地表水或污水处理厂经过处理并符合排放标准的水。知识经济条件下，利用科学的技术措施和方法，上述的问题都很容易解决，与此同时也解决了"自来水与自备井"的矛盾。另外，在开采地热资源时，要根据不同用途和现有井的数量，分不同层次和深度开采，避免在同一深度开采。

三、正确理解地下热水资源的"有限性与无限性"

从宇宙和物质性的角度而言，尽管地下资源是有限的，但作为地下水资源和地热资源系统是开放的，特别是地下水资源作为一种可再生资源，会得到自然界多种方式的补给与涵养，如大气降水、河流的径流与渗流、人工回灌、植被的水分涵养等。当然，在量与时间上除人工回灌外，其他的补给使地下水资源的再生速度很慢，一般在几十年到上千年。目前的主要矛盾是，由于人口的急剧增长和城市化建设的迅速发展以及地下水资源的不合理开发，使地下水资源或地热资源的再生量远远不能满足人类和社会的需求,这也是缺水的真实含义。在知识经济条件下,科学技术的发展是无限性的,同时随着人类认识自然规律程度的不断提高,将使地下水资源或地热资源无限性充分发挥出来,使之取之不尽用之不竭。特别是要用科学的态度和哲学思想去认识世界,不能片面强调和夸大地下水资源和地热资源的短缺与贫乏。

四、寻求新的地热水资源

知识经济条件下的地下水资源战略是"开源、节流与治污并重"。为此,我们不应该只抓"节流"而忽视了"开源和治污"。如根据河南省的地质条件推断和预测,在郑州、开封、周口、漯河等地,在地下 1 500～4 000m 之间具备较好的热储条件和丰富的地下水资源,其温度预计可达 70～100℃。为此,地方政府和从事该领域研究与开发的单位,应该把寻求新的地热资源或水源作为当务之急,并使地热资源勘查与开发规范化、合理化。

五、不断拓宽地热资源的应用领域

随着全面建设小康社会的需要,地热资源的开发利用可以为人类社会提供更多方面的综合服务。河南省目前的地热资源以低温开采为主(温度 35～45℃),主要用于洗浴和饮用,还没有真正充分地利用地热资源。因此,建议各级政府或有关部门,首先应加强立法工作,做好地热资源的勘查与开发利用规划和引导工作;其次要加大地热资源勘查的资金投入或鼓励地热资源的风险投资和开发;最后建立省级的地热资源研究院或管理部门,积极开展超深层地热资源的勘查与开发,储备新的能源和资源,为长远开发和利用奠定基础。最终使地热资源应用领域拓宽到环保型供暖、温泉洗浴理疗与旅游、温泉绿色食品开发、温泉种植与养殖等,使河南省的地热资源开发形成产业化、规模化,并作为一个新的经济增长点加以发展和支持。

六、加大地热钻探设备投入和技术创新工作

目前在地热井专业施工设备方面主要是 2 000m 以下的钻井设备(石油系统除外),并且都是正循环泥浆钻进,在设备性能方面和成井工艺方面都存在着一定问题,如钻井深度能力差、效率低、成本高、地层污染严重。由于成井材料和工艺问题,导致地热井正常使用的寿命低,主要表现在短期内出现水量减小、涌砂或出浑水、井管腐蚀破裂。所以,针对今后的发展趋势和地质条件,应该继续加大地热钻探设备的投入和技术创新工作。

七、建立地热田的数学模型和进行地热资源开发利用环境影响评价

根据当地经济发展的实际情况和中长期规划,采用航卫片解译、地球物理勘探和钻探相结合的技术方法,对地温场、热储、地热流体、回灌试验等进行研究,确定地热田的温度、热储条件、储量、流体性质和水化学类型,并建立相关的数学模型。回灌试验应该确定出单位回灌强度、回灌量衰减系数、回灌影响范围以及影响区内热储温度、地热流体温度、压力、产量和化学成分变化等,为地下资源保护与合理开采布局提供科学的依据。

由于地热流体中通常含有 CO_2、H_2S 等非凝气体,特别是在高温地热流体中其浓度更大,另外,废地热流体的直接排放会造成热污染和流体中有害组分的超标排放。如果处理不当,则会对大气和环境造成污染;在新生界松散沉积层及半成岩热储层中开采地热流体可能产生地面沉降等。这些问题的出现都会对环境造成一定的影响或破坏,所以在地热资源开发利用时,必须进行环境影响评价,其主要评价内容包括地热流体排放对环境影响的评价、地面沉降评价、其他环境影响评价等。

第三节　金属井管表面处理技术

　　利用改变材料表面特性来进行金属表面处理的技术,可以追溯到远古,3 000 多年前中国的大漆,2 000 多年前秦始皇墓中的青铜剑表面改性层(秦始皇墓 2 号坑出土的 19 把青铜剑光亮如新、锋利如初,经分析,表面有一层厚约 $10\mu m$ 的含铬氧化层)就是明证。油漆、电镀、涂层这些古典防护技术,随着科学技术的进步都在迅速发展之中。电子束、离子束、激光束这些近代技术于 20 世纪 60~70 年代进入表面技术领域,并发挥其特有的功能,使表面技术有了飞跃。80 年代初出现了表面工程新概念,当时的英国热处理学会,1984 年更名为热处理与表面工程学会,并出版了第一本国际性的表面工程杂志。90 年代各国竞相把表面工程列入研究发展规划,而且成为美国 2000 年前要加强发展的 9 项科学技术项目之一。

　　表面工程技术和方法主要有激光束或电子束表面改性、化学电化学沉积、热喷涂、化学气相沉积、物理气相沉积等。其主要作用和功能为:①提高耐腐蚀能力(抗均匀腐蚀、防晶向腐蚀与剥蚀、防电偶腐蚀、抗点蚀、抗高温氧化与热腐蚀、延缓腐蚀疲劳、抗应力腐蚀和氢脆);②提高耐磨与减磨能力(抗摩擦磨损、减磨润滑、抗冲刷等);③赋予金属表面其他化学特性(耐酸、耐碱、耐盐等)。这里仅介绍激光束表面处理技术和电子束表面处理技术。

一、激光束表面处理

　　激光束表面处理是用很细的高密度能量激光束在金属表面进行扫描,利用快速加热与冷却和马氏体相变微小(约 4%)比容增加的原理,提高耐磨性。若采用比相变硬化时更高的激光能量($10^5W/cm^2$),使金属表面快速熔化,并造成熔化金属与基体金属之间很大的温度梯度,激光移开后熔化金属快速凝固,表面获得极细或超细化组织结构,可形成较厚的硬化层(有的可达 1mm)称为激光熔凝处理。若激光能量提高到 $10^7 \sim 10^8 W/cm^2$ 再进行处理则可获得表面非晶态结构,称为激光非晶化。

若在激光处理时,采用预沉积法或共沉积法在表面上沉积一层所希望的元素,再经激光处理,从而形成一层与材料本身不同化学成分的新合金层,构成激光表面合金化,可明显提高耐磨、耐蚀等性能。

二、电子束表面处理

电子束属于一种高能量密度的热源,其最大功率密度可达 $10^9 W/cm^2$。用于金属表面的改性,在极短的时间就可使金属表面熔化,其特点是"快",迅速加热迅速冷却,速度可达 $10^3 \sim 10^6 ℃/s$。可进行金属表面固态相变,将某些合金元素涂在金属表面,然后用电子束加热,使其形成合金层。

第四节　相关技术研究问题

地热旧井处理工程技术是一个新兴的学科交叉领域,具有很强的实用性和潜在的发展前景。为了使这项技术更加完善,今后还要对以下几方面的问题做进一步研究。

一、水井涌砂成因与类型

导致水井涌砂的因素主要有井管破裂、过量开采、成井工艺、砾料下沉等,实际上涌砂的根本原因是地层侧压力与井内液柱压力平衡被破坏。定量分析地层侧压力分布规律及研究平衡理论,可以对涌砂治理和成井工艺提供重要的科学依据。

二、深水区控制爆破技术的有关问题

水量减少、井内落物等问题,均可通过控制爆破技术来解决,并且具有安全、效率高、成本低、效果好等特点。特别是在破坏井内和围填层胶结物强度时,控制爆破具有不可替代的作用。但是,在大于 400m 井深的情况下,爆破药量、爆破效果以及密封等问题仍需做进一步研究。

三、制定旧井处理工程的技术标准和规范

旧井处理工程作为一个新兴的技术领域,必须制定一系列的技术标准、规范和质量验收要求,以便使其健康、科学地发展。

四、发展和完善水井检测技术

目前用于水井检测的手段是用 ST-2 型彩色电视检查系统来了解井内情况,但是在检测深度、清晰度、适用口径等方面还有一定问题。所以,在仪器研制方面还需要进一步加强工作,另外对井管腐蚀监测、结垢物强度测试等技术也需要开发和应用。

五、井内密封和固定技术

地下水污染和涌砂等问题的处理均需要密封和固定技术,这项技术的研究和应用,将对问题处理起到安全、可靠、低耗之效果。

地热资源的开发利用是国家鼓励的一个产业,也是一种循环经济和可持续发展的产业。它不但具有显著的经济效益和社会效益,而且还有巨大的生态效益和环境效益。地热资源勘查工程是一个综合学科的交叉领域,涉及到钻探工程学、材料科学、腐蚀科学、环境工程、水文地质学。所以,我们在知识经济条件下,要转变思想观念,充分利用国内外先进的管理经验、技术和哲学思想,使

河南省的地热资源开发规模化、合理化，真正使地热资源为人类社会的可持续发展和循环经济发展作出贡献。

参 考 文 献

［1］卢予北.现代水井工程若干技术问题分析与研究:［学位论文］.长春:长春科技大学,1999

［2］Rune Gustafsson.swedish blasting technique.北京:人民铁道出版社.1973

［3］冯叔瑜,等.城市控制爆破.北京:中国铁道出版社,1996

［4］曾祥熹,等.钻孔护壁堵漏原理.北京:地质出版社,1986

［5］卢予北.特种洗井技术及安全操作规程.内部资料,1998

［6］周本省.工业水处理技术.北京:化学工业出版社,1996

［7］油气田腐蚀与防护技术手册编委会.油气田腐蚀与防护技术手册.北京:石油工业出版社,1999

［8］钻井手册编写组.钻井手册.北京:石油工业出版社,1999

［9］卢予北.地热井常见主要问题分析.探矿工程,2004(2)

［10］卢予北.水井技术现状与展望.探矿工程,1999(2)

［11］卢予北.河南省地热(中深)井金属井管腐蚀与结垢试验研究.探矿工程,2004(2)

［12］Allis,R. G. and James,R. 1979,A Natural Convection Promoter for Geothermal Wells,Geo－Heat Center,Klamath Falls,OR

［13］Rutten,P.,1986,Summary of Process－Mushroom Production,Oregon Trail Mushroom Gompany,Vale,OR

［14］Bowen,R.,1989,Geothermal Resources,2nd edition,Elsevier Applied Science,485

［15］ASHRAE,1992,ASHRAE Handbook－System and Equipment,1992